U0138248

中华国学文库

老子道德经注

〔魏〕王 弼 注

楼宇烈 校释

中华书局

图书在版编目(CIP)数据

老子道德经注/(魏)王弼注;楼宇烈校释. —北京:中华书局,
2011.1(2023.11 重印)
（中华国学文库）
ISBN 978-7-101-07488-8

Ⅰ.老… Ⅱ.①王…②楼… Ⅲ.①道家②老子-注释
Ⅳ.B223.12

中国版本图书馆 CIP 数据核字(2010)第 130261 号

书　　名	老子道德经注	
注　　者	〔魏〕王　弼	
校 释 者	楼宇烈	
丛 书 名	中华国学文库	
责任编辑	石　玉	
责任印制	管　斌	
出版发行	中华书局	
	（北京市丰台区太平桥西里 38 号　100073）	
	http://www.zhbc.com.cn	
	E-mail:zhbc@zhbc.com.cn	
印　　刷	河北新华第一印刷有限责任公司	
版　　次	2011 年 1 月第 1 版	
	2023 年 11 月第 20 次印刷	
规　　格	开本/880×1230 毫米　1/32	
	印张 7⅛　插页 2　字数 172 千字	
印　　数	314001-329000 册	
国际书号	ISBN 978-7-101-07488-8	
定　　价	38.00 元	

中华国学文库出版缘起

《中华国学文库》的出版缘起,要从九十年前说起。

1920年,中华书局在创办人陆费伯鸿先生的主持下,开始编纂《四部备要》。这套汇集三百三十六种典籍的大型丛书,精选经史子集的"最要之书",校订成"通行善本",以精雅的仿宋体铅字排印。一经推出,即以其选目实用、文字准确、品相精美、价格低廉的鲜明特点,最大限度地满足了国人研治学问、阅读典籍的需要,广受欢迎。丛书中的许多品种,至今仍为常用之书。

新中国成立之后,党和国家倡导系统整理中国传统文献典籍。六十馀年来,在新的学术理念和新的整理方法的指导下,数千种古籍得到了系统整理,并涌现出许多精校精注整理本,已成为超越前代的新善本,为学界所必备。

同时,随着中华民族以前所未有的自信快速发展,全社会对中国固有的学术文化——国学,也表现出前所未有的关注和重视。让中华文化的优秀成果得到继承和创新,并在世界范围内进行传播和弘扬,普惠全人类,已经成为中华民族的历史使命。当此之时,符合当代国民阅读需要的权威的国学经典读本的出现,实为当务之急。于是，《中华国学文库》应运而生。

　　《中华国学文库》是我们追慕前贤、服务当代的产物，因此，它自当具备以下三个基本特点：

　　一、《文库》所选均为中国学术文化的"最要之书"。举凡哲学、历史、文学、宗教、科学、艺术等各类基本典籍，只要是公认的国学经典，皆在此列。

　　二、《文库》所选均为代表当代最新学术水平的"最善之本"，即经过精校精注的最有品质的整理本。其中既有传统旧注本的点校整理本，如朱熹《四书章句集注》，也有获得学界定评的新校新注本，如余嘉锡《世说新语笺疏》。总之，不以新旧为别，惟以善本是求。

　　三、《文库》所选均以新式标点、简体横排刊印。中国古籍向以繁体竖排为标准样式。时至当代，繁体竖排的标准古籍整理方式仍通行于学术界，但绝大多数国人早已习惯于现代通行的简体横排的图书样式。《文库》作为服务当代公众的国学读本，标准简体字横排本自当是恰当的选择。

　　《中华国学文库》将逐年分辑出版，每辑十种，一次推出；期以十年，以毕其功。在此，我们诚挚希望得到学术界、出版界同仁的襄助和广大读者的支持。

　　中华书局自 1912 年成立，至今已近百岁。我们将《中华国学文库》当作向中华书局百年诞辰敬献的一份贺礼，更是向致力于中华民族和平崛起、实现复兴大业的全国人民敬献的一份厚礼。我们自当努力，让《中华国学文库》当得起这份重任，这份荣誉。

中华书局编辑部

2010 年 12 月

校释说明

王弼老子道德经注是老子一书最重要的注释之一,也是研究王弼思想最主要的著作。

老子道德经一书,在其流传过程中,不断有后人增删、意改,而在其传抄、刊印过程中又时有衍夺错植等发生,从而形成了老子道德经一书极其复杂的版本问题。

同样,老子道德经的各种注释本的版本问题也十分复杂。就拿王弼的老子道德经注来说,现存较为完整的最早版本为清末浙江书局翻刻的明华亭张之象本,但就是这个本子,也已据清武英殿本作了部分校订,而已非真正张之象原本。

在我最初做本书校释工作时(一九六二年),发现在这一版本中有好几处王弼的注文与老子道德经的原文有不一致的地方。于是我找来一些通行的老子本子对着看,发现其间老子原文虽也有少许不同,但仍与王弼的注文对不上。当时我想是否王弼的注遭到后人改动了? 或者王弼做注释时所用的老子道德经别有所本? 也就是说,魏晋时期流行的老子道德经文本,与唐宋以后通行的老子道德经文本不完全一样。这个疑问到一九七三年长沙马王堆汉墓帛书老子甲乙本出土,得到了解答。王弼注文中那些与老子原文对不上的地方,都可以在帛书老子甲乙本中找到与它对应的原文。原来,包括张之象本在内的历代通行的王弼老子道德经注本中的老子原文,都已被后人按通行本的老子文本改过了,因而才出现王弼注文与老子原文不一致的情况。

这一情况的发现,说明王弼老子道德经注所用的老子文本是一个古老的版本,而参照王弼注文中保存的某些老子古意,其中也有值得我们从别一个视角去思考老子的思想。

比如说,老子第一章中有一句非常重要的话:"无名天地之始,有名万物之母。"这是以往论证老子由无生有、天地生万物思想的重要论据。王弼的注文中劈头也说"凡有皆始于无",而接着却说"故未形无名之时,则为万物之始",而且后面还引申出一句话:"言道以无形无名始成万物。"老子原文中的"天地"变成了"万物",与下句中"有名"的定位相同。是不是王弼的注文有误?帛书本的出土,排除了这种怀疑。帛书本老子甲乙两本原文均作:"无名万物之始,有名万物之母。"可见王弼注文是有原文版本根据的。同时,老子原文中"始"和"母"的含义是相通的,"无名"与"有名"是对万物生和长状态的描述。但过去有的研究者十分强调老子思想中"有生于无"的观点,于是把"无名"、"有名","天地"、"万物","始"、"母"都看成是不同的生与被生的关系,以至于要把这句话句读成:"无,名天地之始;有,名万物之母。"可见老子这两句话的理解还是可以再深入思考的。

帛书老子甲乙本中与王弼注可相印证的重要条目尚有:

第十三章通行本老子文为:"故贵以身为天下,若可寄天下;爱

以身为天下,若可托天下。"王弼注文则是颠倒的,前一句下注为
"如此乃可以托天下也",而后一句则注为"如此乃可以寄天下
也",与帛书老子甲乙本同。

第二十八章最后一句通行本老子文为:"故大制不割。"王弼
注则作"故无割也",与帛书老子甲乙本同。

第三十二章通行本老子中有一句:"始制有名……知止可以不
殆。"然王弼注文引原文则作:"故知止所以不殆。"这在帛书老子
甲乙本中也得到了印证。

第三十五章通行本老子中有一句:"道之出口,淡乎其无味。"
王弼注则作"道之出言,淡然无味",同于帛书老子甲乙本。

第四十九章通行本老子中有一句"圣人皆孩之",王弼注文则
在此上尚有"百姓各皆注其耳目焉"一句,而这一句在帛书老子甲
乙本文中都有。

以上各条,有的虽然只有一字之差,但对老子一些文句的理解
还是很有帮助的。

关于本校释所用底本和参考版本的情况,简述如下:

老子道德经注以浙江书局刻明华亭张之象本为底本(四部备
要本及诸子集成本与此同。按,这一本子已据清武英殿本作了部
分校订,非张之象原本)。

参校版本有:

道德真经注(此书存明刻道藏内,较接近张之象原本——简称
道藏本)。

道德真经集注(此书存明刻道藏内,卷末有梁迥序。据近人王
重民考,此即为宋志所载文如海之集注。书集唐玄宗、河上公、王
弼、王雱四家注,王弼注全录——简称道藏集注本)。

集唐字老子道德经注(清黎庶昌据日本宇惠本,合以张之象本而成——简称古逸丛书本)。

老子道德经(清四库馆臣用张之象本,据永乐大典本校订。然永乐大典本只存上篇而无下篇——简称武英殿本或永乐大典本)。

用以参校的各种征引王弼老子道德经注注文的书籍有:

道德真经藏室纂微篇(书存明刻道藏内,宋陈景元著——简称道藏藏室纂微本)。

道德真经集注杂说(书存明刻道藏内,宋彭耜著——简称道藏集注杂说本)。

道德经集解(书存明刻道藏内,宋董思靖著——简称道藏集解董本)。

道德经集解(书存明刻道藏内,元赵秉文著——简称道藏集解赵本)。

道德经取善集(书存明刻道藏内,元李霖著——简称道藏取善集本)。

道德真经集义(书存明刻道藏内,元刘惟永著——简称道藏集义本)。

列子注(晋张湛著)。

世说新语注(宋刘孝标著)。

文选注(唐李善著)。

经典释文(唐陆德明著)。

初学记(唐徐坚著)。

老子翼(明焦竑著)。

老子道德经批(明归有光著)。

老子衍(清王夫之著)。

用以参校及释义的前人著述有：

老子平议（清俞樾著——见诸子平议）。

读老札记（清易顺鼎著——见宝瓠斋杂俎）。

读老子札记附王弼注勘误（陶鸿庆著——见读诸子札记）。

老子校诂（马叙伦著）。

老子王弼注校记（刘国钧著——见图书馆学季刊第八卷第一期）。

王注老子道德经（日本宇佐美灊水〔宇惠〕著——见老子诸注大成）。

老子王注标识（日本东条一堂〔东条弘，号肃爽子〕著——见老子诸注大成）。

老子王注校正（日本波多野太郎著——见横滨市立大学纪要（人文科学）第八、十五、二十七期）。

帛书老子甲、乙本（一九七三年长沙马王堆三号汉墓出土。此书无王弼注文，然对校勘王弼注文多有参考价值）。

老子指略（何劭王弼传言"弼注老子，为之指略，致有理统"，因以定名），以王维诚辑校本为底本，并据云笈七签中老子指归略例和道藏中老子微旨例略等重加校订，改正了王维诚辑校本中的某些错误。

以上所列仅为校释时所参考的部分主要书目，尚有一些参考书籍则不一一列举了。

目　录

下篇

上 篇

一章

道可道,非常道;名可名,非常名。

可道之道,可名之名,指事造形〔一〕,非其常也。故〔二〕不可道,不可名也。

无名天地之始,有名万物之母。

凡有皆始于无〔三〕,故未形无名之时〔四〕,则为万物之始。及其有形有名之时,则长之、育之、亭之、毒之,为其母也〔五〕。言道以无形无名始成万物,〔万物〕以始以成而不知其所以〔然〕〔六〕,玄之又玄也〔七〕。

故常无欲,以观其妙;

妙者,微之极也。万物始于微而后成,始于无而后生。故常无欲空虚〔八〕,可以观其始物之妙。

常有欲,以观其徼。

徼,归终也。凡有之为利,必以无为用;欲之所本,适道而后济〔九〕。故常有欲,可以观其终物之徼也〔一〇〕。

此两者同出而异名,同谓之玄,玄之又玄,众妙之门。

两者,始与母也〔一一〕。同出者〔一二〕,同出于玄也。异名,所施不可同也。在首则谓之始,在终则谓之母〔一三〕。玄者,冥(也)默(然)无有也〔一四〕,始、母之所出也。不可得而名,故不可言同名曰玄。而言〔同〕〔一五〕谓之玄者,取于不可得而谓之然也。〔不可得而〕〔一六〕谓之然,则不可以定乎一玄而已。〔若定乎一玄〕〔一七〕,则是名〔一八〕则失之远矣。故曰"玄之又玄"也〔一九〕。众妙皆从(同)〔玄〕〔二〇〕而出,故曰"众妙之门"也〔二一〕。

【校释】

〔一〕"指事",许慎说文解字论六书篇说:"指事者,视而可识,察而见意,上下是也。""造",为。"形",周易系辞上"在天成象,在地成形",韩康伯注:"象况日月星辰,形况山川草木也。""指事造形",此处借以指可识可见有形象之具体事物。

〔二〕"故",道藏集注本作"其"字。

〔三〕"有",万有,指可识可见有形象之具体事物。"无",指道。四十章:"天下万物生于有,有生于无。"王弼注:"天下之物,皆以有为生。有之所始,以无为本。将欲全有,必反于无。"

〔四〕"未形无名",指没有具体形象、不可名状之无,也就是道。二十五章:"有物混成……吾不知其名。"王弼注:"名以定形,混成无形,不可得而定,故曰不知其名也。"又三十二章:"道常无名。"王弼注:"道,无形不系,常不可名。以无名为常,故曰道常无名也。"

〔五〕见五十一章:"故道生之,德畜之:长之、育之、亭之、毒之、养之、覆之。"王弼注:"〔亭谓品其形,毒〕谓成其(实)〔质〕,各得其庇荫,不伤其体矣。"此句意为,当已成为具体事物后,又得到道的生长、养育,所以道是万物之母。

〔六〕"万物"及"然"字均据陶鸿庆说补。陶说:"'万物'二字当叠,'所以'下夺'然'字。……二十一章云:'以无形始物,不系成物,万物以始以成,而不知其所以然。'与此同。"

〔七〕"玄",下文王弼注:"玄者,冥(也)默(然)无有也。"

〔八〕"常无欲空虚",道藏集注本及道藏集义本于"空虚"下均多"其怀"二字,则此句当读作:"故常无欲,空虚其怀。"又,波多野太郎说:据下节注"常有欲,可以观其终物之徼也"文例,疑此注

"空虚"二字为衍文,且"妙"字下当有一"也"字。按,波多野太郎说近是。"常无欲"即"空虚"或"空虚其怀"之意,亦即虚静而无思无欲之意。十六章王弼注:"以虚静观其反复。凡有起于虚,动起于静,故万物虽并动作,卒复归于虚静,是物之极笃也。"又说:"穷极虚无,得道之常。"王弼以"无"为天地万物之"本"、"体",天地万物的生成是自然无为的,所以说,只有从"常无欲"去观察天地万物的生成,才能了解"始物之妙"。注中"空虚"或"空虚其怀"疑均为读者释"常无欲"之注文而误窜入注文者。

〔九〕十一章:"有之以为利,无之以为用。"王弼注:"言无者,有之所以为利,皆赖无以为用也。""利",用之善。十九章"绝巧弃利"王弼注:"巧利,用之善也。""适",从。"道",指无。"济",止。此句意为,有欲必须不离于无,然后才能有所归止。

〔一〇〕"常有欲",指万有和思虑。王弼以为"有"必须以"无"为"本",以"无"为"用",思虑亦必须不离于"无",然后才能有所归止。所以,他认为通过"常有欲",即可以了解到天地万物的最终归结。这也就是他"夫无不可以无明,必因于有,故常于有物之极,而必明其所由之宗也"(韩康伯系辞注引王弼大衍义)的意思。

〔一一〕"母",道藏本及永乐大典本均作"无"。

〔一二〕"同出者",道藏集注本作"出者"。

〔一三〕"母",道藏本及道藏集注本均作"毋"。文选游天台山赋李善注引此节注文作:"两者,谓始与母也,同出于玄也。异名,所施不同也。在首则谓之始,终则谓之母也。"按,"异名所施不可同也"句,疑当作"异名者,所施不同也",于上下文义方安。

〔一四〕此句据文选游天台山赋李善注引文校改。易顺鼎说:"文选游天台山赋注引王弼注云:'玄,冥嘿无有也。'据此,则今本'冥'下衍'也'字,'默'下衍'然'字。"

〔一五〕"同"字据陶鸿庆说校补。陶说详见本章校释〔二一〕。按,据经文作"同谓之玄",此处当有一"同"字。

〔一六〕"不可得而"四字,据陶鸿庆说校补。陶说详见本章校释〔二一〕。按,此处为重言上文"不可得而谓之然"。若作"谓之然",则于文义不可通。

〔一七〕"若定乎一玄"五字,据道藏集注本校补。按,据上下文义当有此五字,否则下文"则是名则失之远矣"句文义不畅矣。此句意为,"玄"只是形容一种冥默无有的状态,而不是一个确定的名称。如果把"玄"作为这种状态的确定名称,那么这个名称就"失之远矣",即不足以表达冥默无有的状态了。

〔一八〕"则是名",道藏集注本作"则是其名"。道藏集注本"则"字作"谓"。又,宇惠说:"则"字衍。东条弘说:"则"疑为"具"字之误。波多野太郎说:"则"当作"制"字,形似而误。

〔一九〕"故曰玄之又玄也",王弼认为,"玄"是形容一种"冥默无有"的状态,是不可称谓之称谓。"玄"不同于某一具体事物之名称,而只是对"无"、"道"的一种形容。王弼在老子指略中说:"然则道、玄、深、大、微、远之言,各有其义,未尽其极者也。然弥纶无极,不可曰细;微妙无形,不可名大。是以篇云'字之曰道',谓之曰'玄'而不名也。"又说:"故名号则大失其旨,称谓则未尽其极。是以谓'玄'则'玄之又玄',称'道'则'域中有四大'也。"

上篇 一章

〔二〇〕"玄"字,据陶鸿庆说校改。陶说详见本章校释〔二一〕。按,上文说"同出于玄",可证此当作"皆从玄而出"方是。又,道藏集注本"从同"作"从门"。

〔二一〕此节注文陶鸿庆说:"自'不可得而名'以下,谬误几不可读。今以义考之,原文当云:'不可得而名,故不言同名曰玄。而言同谓之玄者,取于不可得而谓之然也。不可得而谓之然,则不可定乎一玄而已。故曰玄之又玄也。则是名则失之远矣。众妙皆从玄而出，故曰众妙之门也。'注意谓经文不言同名曰玄，而言同谓之玄者，若不可得而谓之者然，犹言无以称之，强以此称之而已。既无称而强以此称，则不可定乎一玄。玄且不可定，况可以始与母者名之乎？故曰名则失之远矣。'从同'当为'从玄'，涉上文而误。"按，据上校释〔一九〕所引王弼老子指略之思想，陶说有可取之处，但也不尽然，因而此节注文未悉遵陶说校改。

二章

天下皆知美之为美,斯恶已;皆知善之为善,斯不善已。故有无相生,难易相成,长短相较,高下相倾,音声相和,前后相随。

美者,人心之所进乐也〔一〕;恶者,人心之所恶疾也。美恶犹喜怒也,善不善犹是非也。喜怒同根,是非同门,故不可得而偏举也〔二〕。此六者,皆陈自然〔三〕,不可偏举之(明)〔名〕数也〔四〕。

是以圣人处无为之事,

自然已足〔五〕,为则败也。

行不言之教,万物作焉而不辞,生而不有,为而不恃,

智慧自备,为则伪也〔六〕。

功成而弗居。

因物而用〔七〕,功自彼成,故不居也。

夫唯弗居,是以不去。

使功在己,则功不可久也。

【校释】

〔一〕"进乐",古逸丛书本作"乐进"。按,据下文"恶疾"句例,此处似

作"乐进"于义为长。

〔二〕"不可得而偏举也",古逸丛书本、道藏本及道藏集义本"得"下均无"而"字。道藏集注本无"得而"二字。又,道藏本"偏"字误作"徧",下文"偏"亦误。道藏集义本"举"字作"废"。

〔三〕道藏集注本于"自然"下多一"而"字。

〔四〕"名"字,据宇惠等说校改。按,此处意为"有无"、"难易"、"长短"、"高下"、"音声"、"前后"等六者之名都是相对相依而言者,不可单独偏举,所以"明数"当作"名数",于文义方安。

〔五〕"足"字,永乐大典本作"定"。

〔六〕波多野太郎引一说:"王注'智慧'云云,是解'行不言之教'一句也,则'为'疑当作'言'。"

〔七〕"用"字,道藏集注本作"明"。

三章

不尚贤，使民不争；不贵难得之货，使民不为盗；不见可欲，使民心不乱。

贤，犹能也。尚者，嘉之名也。贵者，隆之称也〔一〕。唯能是任，尚也曷为〔二〕？唯用是施，贵之何为〔三〕？尚贤显名，荣过其任，为而常校能相射〔四〕。贵货过用，贪者竞趣，穿窬探箧〔五〕，没命而盗。故可欲不见，则心无所乱也。

是以圣人之治，虚其心，实其腹；

心怀智而腹怀食，虚有智而实无知也〔六〕。

弱其志，强其骨。

骨无知以干，志生事以乱〔七〕。（心虚则志弱也）〔八〕

常使民无知无欲，

守其真也〔九〕。

使夫智者不敢为也。

智者，谓知为也〔一〇〕。

为无为，则无不治。

【校释】

〔一〕"隆之称也"之"称"字，释文："一本作'号'，一本作'名'。"

9

〔二〕“尚也”，道藏集注本作“尚之”。“曷”，何。

〔三〕道藏集注本于“唯用是施”上多一“而”字；“贵之何为”之“何”字作“曷”。

〔四〕“为而常校能相射”，陶鸿庆说：“自‘唯能是任’以下十二句，句皆四字。‘能相射’三字上当有脱文。陆氏释文以‘为而常校能相射’七字连文，是其误已久。或‘能’上仍是‘校’字，以重文而误夺欤？‘相射’犹言相胜。文子上德篇‘凶凶者获，提提者射’，列子杨朱篇‘楼上博者射’，释文‘食亦反’，张注云‘凡戏争能取中，皆曰射’。”又，道藏集注本及道藏集义本此七字均作“下奔而竞，效能相射”。按，“校能相射”为一句，意为相互比较才能以争胜。“为而常”三字当有脱误。

〔五〕“穿窬探箧”，道藏集注本作“穿窬睹赍箧”。“窬”，傍门。“箧”，箱子。

〔六〕陶鸿庆说：“‘怀食’读如‘士而怀居’之‘怀’，言以稼事为急也。‘怀智’则为不辞，且与老子‘绝圣弃智’之旨违戾。十章注云：‘治国无以智，犹弃智也。’疑此注本作‘心弃智’。下文‘心虚则志弱’，正申言弃智之义。‘虚有智’则沿‘怀智’之误而误者。疑本作‘虚无欲’。经下文云‘使民无知无欲’，注义本之，故云：‘虚无欲，而实无知也。’‘虚无欲’，如‘不识不知，顺帝之则’是也；‘实无知’，如‘凿井而饮，耕田而食’是也。”按，陶说“虚有智”当为“虚无欲”是也。然说“心怀智”为不辞，当作“心弃智”，则不尽然也。观王弼释经文“虚其心，实其腹”句之义，先释明心为怀智之物，而腹为怀食之具，因而说：“心怀智而腹怀食。”然则，能虚其心则无所欲，唯实其腹则无所知。故而说：“虚无欲，而实无知也。”注文作“虚有智”者误。

〔七〕此句注文焦竑老子翼引作“骨无知以干，故强之；志生事以乱，故弱之”。

〔八〕"心虚则志弱也"六字,据道藏本、道藏集注本及道藏集义本校删。按,此六字文义与以上注文不合。明张之象本原亦无此六字。清四库馆臣误据释文校补入殿本。释文出老子经文"弱其志"三字,而下注:"心虚则志弱也,本无'为'字。"观此,则"心虚则志弱也"为陆德明释"弱其志"之意,并非王弼之注文甚明。又,宇惠本此六字亦为释文之注。

〔九〕"真",即朴。二十八章王弼注:"朴,真也。""朴"也就是无、道。三十二章王弼注:"朴之为物,愦然不偏,近于无有。"

〔一〇〕"智"字,古逸丛书本、道藏本及道藏集注本均作"知"。又,道藏集注本无"也"字。

四章

道冲而用之或不盈，渊兮似万物之宗。挫其锐，解其纷，和其光，同其尘。湛兮似或存，吾不知谁之子，象帝之先。

夫〔一〕执一家之量者，不能全家；执一国之量者，不能成国；穷力举重，不能为用〔二〕。故人虽知万物治也〔三〕，治而不以二仪之道〔四〕，则不能赡也〔五〕。地虽形魄，不法于天则不能全其宁；天虽精象，不法于道〔六〕则不能保其精〔七〕。冲而用之〔八〕，用乃不能穷。满以造实〔九〕，实来则溢。故冲而用之又复不盈，其为无穷亦已极矣〔一〇〕。形虽大，不能累其体〔一一〕；事虽殷〔一二〕，不能充其量。万物舍此而求主〔一三〕，主其安在乎？不亦渊兮似万物之宗乎？锐〔一四〕挫而无损，纷〔一五〕解而不劳，和光而不汙其体〔一六〕，同尘而不渝其真〔一七〕，不亦湛兮〔一八〕似或存乎〔一九〕？地守其形，德不能过其载；天慊其象〔二〇〕，德不能过其覆。天地莫能及之，不亦似帝之先乎〔二一〕？帝，天帝也。

【校释】

〔一〕道藏集注本无此"夫"字。

〔二〕此句意为，一家、一国之量都是有穷的，拘执于有穷之量，即使竭尽全部之力量，也是不能全自身之用的。因而下文说要以天地为法、以道为法。

〔三〕按，“人虽知万物治也”文义不畅，疑当作“人虽知治万物也”。波多野太郎说“万物”下当补一“之”字，亦可。

〔四〕“二仪之道”，即指天地之道。二十五章：“人法地，地法天，天法道，道法自然。”

〔五〕“赡”，玉篇：“周也。”周全、充足之意。

〔六〕“不法于道”，道藏集注本“法”字误作“能”。

〔七〕二十五章王弼注：“地不违天，乃得全载，法天也。天不违道，乃得全覆，法道也。”又说：“用智不及无知，而形魄不及精象，精象不及无形，有仪不及无仪，故转相法也。”按，或疑“精”字为“清”字之讹。三十九章“天得一以清，地得一以宁”，“清”与“宁”对文。此注上文说“地虽形魄，不法于天则不能全其宁”，故“天虽精象，不法于道则不能保其精”之“精”字当为“清”字，于义为长。因“清”、“精”二字形近，又涉上文“精象”一词而误。

〔八〕“冲”，俞樾说：“说文皿部：‘盅，器虚也。老子曰：道盅而用之。’作‘冲’者，假字也。”按，王弼此处以“冲”与“满”、“实”对言，是以“冲”为“虚”义。汤用彤魏晋玄学流别略论以为“冲而用之”即“以无为用”之意，则亦释“冲”为“虚”。

〔九〕“满以造实”，道藏集注本“造”字作“追”。

〔一○〕“亦已极矣”，道藏集注本“极”字误作“抑”。

〔一一〕“累”，系累、束缚之意。

〔一二〕“殷”，众多。道藏集注本“殷”字作“繁”。

〔一三〕“求主”，道藏集注本及道藏集义本均作“求其主”，与永乐大典本同。又，道藏集义本“舍”字作“捨”。

〔一四〕“锐”，说文“芒也”，引申为锋芒之意。

〔一五〕“纷”，争端。五十六章王弼注“解其纷”说：“除争原也。”

〔一六〕“汙”，同“污”。

〔一七〕"渝",变污,此处亦为污意。"真"字道藏集注本误作"冥"。

〔一八〕"湛",深暗不可见之貌。"不亦湛兮",道藏集注本作"其然乎"。

〔一九〕道藏集解赵本引此段注文作:"存而不有,没而不无,有无莫测,故曰似存。"与各本迥异,不知何据。

〔二○〕"慊",足。庄子天运"尽去而后慊",王先谦注:"释文:李云,慊,足也。"又,"慊"字道藏集注本作"嗛"。

〔二一〕以上意为,就天地之德性而言,也均有所止,而不能超过载、覆;然而道则渊兮、湛兮,天地都不能及之,所以说,道似天帝之先。

五章

天地不仁，以万物为刍狗；

天地任自然，无为无造，万物自相治理，故不仁也。仁者必造立施化，有恩
有为〔一〕。造立施化，则物失其真〔二〕。有恩有为，则物不具存〔三〕。物不具
存，则不足以备载〔四〕。（矣）〔天〕〔五〕地不为兽生刍，而兽食刍；不为人生狗，
而人食狗〔六〕。无为于〔七〕万物而万物各适其所用，则莫不赡矣。若慧由己
树，未足任也〔八〕。

圣人不仁，以百姓为刍狗。

圣人与天地合其德，以百姓比刍狗也。

天地之间，其犹橐籥乎？虚而不屈，动而愈出。

橐，排橐也。籥，乐籥也〔九〕。橐籥〔一〇〕之中空洞，无情无为，故虚而不
得穷屈、动而不可竭尽也。天地之中，荡然任自然，故不可得而穷，犹若橐
籥也。

15

多言数穷，不如守中。

愈为之则愈失之矣。物树其（恶）〔慧〕〔一一〕，事错其言，〔不慧〕〔一二〕不
济，不言不理，必穷之数也〔一三〕。橐籥而守数中〔一四〕，则无穷尽。弃己任物，
则莫不理〔一五〕。若橐籥有意于为声也，则不足以共〔一六〕吹者之求也〔一七〕。

【校释】

〔一〕"造立施化",指有所作为。"有恩有为",指有所好恶。又,"造立施化",道藏集注本误作"造立无施"。"有恩有为",道藏集义本误作"有思有为"。

〔二〕"真",即朴。说见三章校释〔九〕。

〔三〕"具",皆。"则物不具存"之"则"字,古逸丛书本误作"列"。

〔四〕"备载",陶鸿庆说:当为"被载"之误;"被","覆也"。波多野太郎说:"备载"即"全载"之意。又,道藏集注本"载"作"哉"。

〔五〕"天"字,据道藏集注本校改。按,老子经文作"天地不仁……",此处注文当亦作"天地不为兽生刍……"。

〔六〕道藏集注本脱"而人食狗"四字。

〔七〕"于"字,道藏集注本误作"然"。

〔八〕"慧",古通"惠",此处为惠义。按,道藏集注本"树"字作"犹",则此句当读作"若慧由己,犹未足任也"。又,道藏集注本此节注文并误作"河上曰"。

〔九〕"籥"字,文选文赋李善注引作"器"。

〔一〇〕"橐籥",俗称风箱,橐是外椟,籥是内管。然王弼此处以籥为乐籥,则籥指似笛之乐器。"排橐"之"橐",释文释为"无底囊"。又,易顺鼎说:"王注之义虽亦可通,而一为吹火囊,一为乐器,殊不相类。橐,当为囊橐之橐,籥当为管籥之籥。管籥或作钥,或作籥。……盖橐所以缄縢物者,钥所以阖辟物者。'虚而不屈',正谓橐橐;'动而愈出',正谓钥籥耳。天地之门犹橐钥者,橐主入物,故曰阖户,谓之乾;钥主出物,故曰辟户,谓之坤矣。"

〔一一〕"慧"字,据陶鸿庆说校改。陶说:"'恶'为'慧'字之误,'慧'与'惠'同。上文云'若慧由己树,未足任也',是其证。"

〔一二〕"错",置。"不慧"二字,据陶鸿庆说校补。陶说:"'不济'上

老子道德经注

当夺‘不慧’二字。‘不慧不济，不言不理’，即承上两句（‘物树其慧，事错其言’）而言。”又，<u>波多野太郎</u>说：“不济不言不理”，当作“其惠不济，其言不理”。“不济”之“济”字，<u>道藏集注本</u>作“齐”。

〔一三〕“济”，成。“理”，治。“必穷之数也”之“数”，读作“速”。此句意为，由于对物施惠，对事设置了名言，因而使得事物无施惠则不成，无名言则不治，所以说：“必穷之数（速）也。”

〔一四〕<u>波多野太郎</u>说：“守数中”之“数”字衍。按，<u>老子</u>经文说“不如守中”，<u>王弼</u>上节注说“橐籥之中，空洞无情无为……”，则此处言“橐籥而守数中”，亦当作“橐籥而守中”。“数”字乃涉上文“必穷之数也”而衍。“中”，即守其空虚无为之意。

〔一五〕“弃己任物”，即无为无造，无施无惠，而任物自然之意，所以说“莫不理”。

〔一六〕“共”，通“供”。<u>道藏集注本</u>及<u>道藏集义本</u>均作“供”。

〔一七〕按，<u>道藏取善集本</u>引此节注文作“若不法天地之虚静，同橐籥之无心，动不从感，言不会机，动与事乖，故曰数穷；不如内怀道德，抱一不移，故曰守中”。疑非<u>王弼</u>注文。

六章

谷神不死，是谓玄牝，玄牝之门，是谓天地根。绵绵若存，用之不勤。

谷神〔一〕，谷中央无（谷）〔者〕〔二〕也。无形无影，无逆无违，处卑不动，守静不衰，（谷）〔物〕〔三〕以之成〔四〕而不见其形，此至物也〔五〕。处卑（而）〔守静〕不可得〔而〕名，故谓〔之玄牝〕。（天地之根绵绵若存，用之不勤）〔六〕。门，玄牝之所由也〔七〕。本其所由〔八〕，与〔太〕〔九〕极同体，故谓之"天地之根"也。欲言存邪，则不见其形；欲言亡〔一〇〕邪，万物以之生，故"绵绵若存"也。无物不成（用）〔一一〕而不劳也，故曰用而不勤也〔一二〕。

【校释】

〔一〕"谷"，河上公注："谷，养也。"高亨老子正诂："谷神者，道之别名也。'谷'读为'縠'。尔雅释言：'縠，生也。'广雅释诂：'縠，养也。'""谷神者，生养之神。"按，观王弼释"谷"字，似借为山谷之谷，而其意为虚无，如"虚怀若谷"之"谷"义。因而王弼说："谷神，谷中央无（谷）〔者〕也，无形无影，无逆无违……"此均为形容"谷"是虚无而不可名状。又四十一章经文"上德若谷"，王弼注："不德其德，无所怀也。"以"无所怀"释"谷"，正为虚无之意。又，列子天瑞篇引老子此章"谷神不死"，张湛注亦说："夫谷虚

18

而宅有，亦如<u>庄子</u>之释'环中'。至虚无物，故谓谷神；本自无生，故曰不死。"

〔二〕"者"字，据释文及<u>易顺鼎</u>说校改。<u>释文</u>出"中央无"三字，下注"一本作空"。又在"谷"字下注："古木反，中央无者也。<u>河上</u>本作浴。浴者，养也。"此处"中央无者也"，正为引<u>王弼</u>注文以释"谷"字之义，故原注文当作"谷中央无者也"。又，<u>于省吾</u>读此句以"谷中央无"为句，"谷也"属下读。

〔三〕"物"字，据<u>陶鸿庆</u>说校改。<u>陶</u>说："'谷以之成'，当作'物以之成'。下文云'欲言存邪，则不见其形；欲言亡邪，万物以之生'，即承此言。今误作'谷'则不成义。"按，<u>陶</u>说是，当作"物"字。此处意为物由谷神而成，然不见谷神之形。如作"谷"，则不可解。又，四十一章<u>王弼</u>注释"大象"也说："物以之成，而不见其成形。"可为此佐证。

〔四〕<u>道藏集注</u>本脱"以之成"之"之"字。

〔五〕"此至物也"，<u>石田羊一郎</u>老子王弼注刊误作"此物也"，并属下读。

〔六〕此句注文据<u>列子天瑞篇张湛</u>注引及<u>易顺鼎</u>、<u>陶鸿庆</u>等说校改。<u>列子天瑞篇</u>注引作："处卑而不可得名，故谓之玄牝。"<u>陶鸿庆</u>说："'处卑守静'，承上文'处卑不动，守静不衰'而言，今夺'守静'二字，则文义不备。'不可得而名'见一章注，此注'而'字误夺在上耳。'天地之根'以下十二字，分见下文，则此为复衍无疑。<u>列子天瑞篇张</u>注引此文'处卑'句误同。惟'故谓之玄牝'不误。"

〔七〕"玄"，十章<u>王弼</u>注："玄，物之极也。""牝"，雌性动物之统称。"玄牝"，借以形容万物最初之生养者。此也是对"道"、"无"产生万物的一种形象比喻。"由"，经从。"所由"，所通过之处。

〔八〕<u>波多野太郎</u>说："<u>慧琳一切经音义</u>载王弼注老子曰：'根，始也。'

今世行本均无,宜在此条'本其所由'上。"

〔九〕"太"字,据列子天瑞篇注引校补。"太极",据王弼思想也为虚无之意。可参看王弼对周易系辞"大衍之数"节之解释。韩康伯承王弼思想释系辞"易有太极"说:"太极者,无称之称,不可得而名。"

〔一〇〕"亡",通"无"。

〔一一〕"用"字,据易顺鼎说校删。易说:"列子天瑞篇注引作'无物不成,而不劳也'。'而不劳'上本无'用'字,当据以订正。盖以'无物不成'解'用',以'不劳'解'不勤',后人加入'用'字,则'无物不成'为赘语矣。"

〔一二〕"用而不勤也",道藏集义本引作"用之不勤也"。又列子天瑞篇张湛注引此段注文略有不同,录以参考:"门,玄牝之所由,与太极同体,故谓之天地之根也。欲言存邪,不见其形;欲言亡邪,万物以生,故曰绵绵若存。无物不成,而不劳也,故曰不勤。"

七章

天长地久。天地所以能长且久者,以其不自生,

自生则与物争,不自生则物归也〔一〕。

故能长生。是以圣人后其身而身先,外其身而身存。非以其无私邪? 故能成其私。

无私者,无为于身也。身先身存,故曰"能成其私"也。

【校释】

〔一〕"自生",意为只求自身之生,即所谓"先其身"、"存其身"、"私其身"、"有为于身",亦即如五十章王弼注所说之"生生之厚"。"不自生",意为不求自身之生,即所谓"后其身"、"外其身"、"无私其身"、"无为于身",亦即如五十章王弼注所说之"善摄生者,无以生为生"。

八章

上善若水。水善利万物而不争,处众人之所恶,

人恶卑也。

故几于道。

道无水有,故曰"几"也〔一〕。

居善地,心善渊,与善仁,言善信,正善治〔二〕,事善能,动善时。夫唯不争,故无尤。

言(人)〔水〕皆应于(治)〔此〕道也〔三〕。

【校释】

〔一〕"几",近。此句意为,水虽然善利万物而处卑下,但还是"有",而道则是"无",所以说水只是近于道之善而已。又,道藏集注本"几"字下无"也"字。

〔二〕道藏取善集本于"正善治"下引王弼注:"为政之善,无秽无偏,如水之治,至清至平。"不知何本。

〔三〕此节注文据道藏集注本及道藏集义本校改。永乐大典本同。按,此章经文全以水为譬喻,注文之意正说明水之利物而居卑下,符合于"居善地"之道,故据改。

九章

持而盈之,不如其已。

持,谓不失德也。既不失其德,又盈之〔一〕,势必倾危。故不如其已者〔二〕,谓乃更不如无德无功者也〔三〕。

揣而梲之,不可长保。

既揣〔四〕末令尖,又锐之令利,势必摧衄〔五〕,故不可长保也。

金玉满堂,莫之能守。

不若其已。

富贵而骄,自遗其咎。

不可长保也。

功遂身退,天之道。

四时更运,功成则移。

【校释】

〔一〕"盈",满。

〔二〕"已",去、弃。波多野太郎说:"'已'字下宜补'也,不如其已'五字。下注'既揣末令尖,又锐之令利,势必摧衄,故不可长保也',句法相同。"

〔三〕王弼、老子均认为持德不如无德。三十八章说:"上德不德,是以

23

有德;下德不失德,是以无德。"王弼注说:"上德之人,唯道是用,不德其德,无执无用,故能有德而无不为。不求而得,不为而成,故虽有德而无德名也。"反复申述此意。

〔四〕"揣",说文:"揣,一曰捶之。"即锻击之意。

〔五〕"摧岉",挫折。

十章

载营魄抱一,能无离乎?

载,犹处也。营魄〔一〕,人之常居处也。一,人之真也〔二〕。言人能处常居之宅,抱一清神〔三〕,能常无离乎? 则万物自宾也〔四〕。

专气致柔,能婴儿乎?

专,任也。致,极也。言任自然之气,致至柔之和,能若婴儿之无所欲乎? 则物全而性得矣。

涤除玄览,能无疵乎?

玄,物之极也。言能〔五〕涤除邪饰,至于极览〔六〕,能不以物介〔七〕其明、疵(之)〔八〕其神乎? 则终与玄同也。

爱民治国,能无知乎?

任术以求成,运数以求匿者〔九〕,智也。玄览无疵,犹绝圣也。治国无以智,犹弃智也〔一〇〕。能无以智乎? 则民不辟而国治之也〔一一〕。

天门开阖,能无雌乎?

天门,谓〔一二〕天下之所由从也。开阖,治乱之际也。或开或阖,经通于天下,故曰"天门开阖"也。雌应而不(倡)〔唱〕〔一三〕,因而不为。言天门开阖能为雌乎〔一四〕? 则物自宾而处自安矣。

明白四达,能无为乎?

25

言至明四达，无迷无惑〔一五〕，能无以为乎？则物化矣〔一六〕。所谓道常无为，侯王若能守，则万物〔将〕自化〔一七〕。

生之、

不塞其原也。

畜之，

不禁其性也。

生而不有，为而不恃，长而不宰，是谓玄德。

不塞其原，则物自生，何功之有？不禁其性，则物自济，何为之恃〔一八〕？物自长足，不吾宰成，有德无主，非玄而何〔一九〕？凡言玄德，皆有德而不〔二〇〕知其主，出乎幽冥〔二一〕。

【校释】

〔一〕"营魄"，楚辞远游王逸注"营魄"为"灵魂"。河上公注："营魄，魂魄也。"

〔二〕"真"，即朴。参看三章校释〔九〕。

〔三〕"抱一"，即抱朴。"清"，静。"清神"，即保持虚静，不使物欲累害其精神。三十二章王弼注说："抱朴无为，不以物累其真，不以欲害其神，则物自宾而道自得也。"

〔四〕"宾"，归附。"自宾"，即自来归附。

〔五〕陶鸿庆说：此"能"字当为衍文。

〔六〕"览"，见、观。"极览"，即经文所谓"玄览"，指一种排除一切物欲障碍之神秘的精神境界。所以说最终能"与玄同也"。按，老子"玄览"一词历来说者纷纭。一说"览"借为"鉴"，镜也。长沙马王堆三号汉墓出土之帛书老子乙本经文正作"监"。然王弼注以"极览"释"玄览"，则"览"不得借为"鉴"。故此处以王弼义释"览"为"见"、"观"之意。

〔七〕"介"，陶鸿庆说："读为界，限也。"波多野太郎说："介"读为"疥"，与下"疵"同为"病"义。

〔八〕"之"字,据道藏集义本及易顺鼎、陶鸿庆、宇惠等说校删。按,
　　"疵其神"与"介其明"同义,如有"之"字,则为不辞。又,陶鸿庆
　　说:"疵,额(丝节)也。"

〔九〕"任术以求成",意为任用法术或权术以求得成就。"运数以求
　　匿",意为运用术数或权术去探察别人隐匿之事。

〔一〇〕见十九章:"绝圣弃智,民利百倍。"

〔一一〕"辟",借为"避"。"民不辟",意为民不知有所避匿。四十九
　　章王弼注"无所察焉,百姓何避",意与此同。又,"国治之
　　也",道藏集注本无"之"字。陶鸿庆说:当作"国自治"。

〔一二〕古逸丛书本无此"谓"字。

〔一三〕"唱"字,据道藏集注本及道藏集义本校改。道藏本作"昌"。
　　按,作"唱"字是。六十八章王弼注:"后而不先,应而不唱。"
　　周易讼卦初六爻辞王弼注也说:"凡阳唱而阴和,阴非先唱者
　　也。"又,革卦六二爻辞注:"阴之为物,不能先唱,顺从者也。"
　　均作"唱",可为证。

〔一四〕按,此句为复述经文,然经文"能为雌乎"误作"能无雌乎"。
　　古逸丛书本、道藏本、道藏集注本及长沙马王堆三号汉墓出土
　　帛书老子乙本经文均作"能为雌乎",可证。

〔一五〕道藏集注本于"无迷"下误重"无迷"二字。

〔一六〕"物化",万物自然变化生成。语出庄子齐物论:"昔者庄周梦
　　为胡蝶,栩栩然胡蝶也,自喻适志与! 不知周也。俄然觉,则
　　蘧蘧然周也。不知周之梦为胡蝶与? 胡蝶之梦为周与? 周与
　　胡蝶则必有分矣,此之谓物化。"

〔一七〕"将"字,据三十七章经文校补。三十七章说:"道常无为而无
　　不为,侯王若能守之,万物将自化。"又,道藏集义本"自化"作
　　"自宾也"。

〔一八〕"济",成。"恃",依靠,道藏集注本误作"情"字。

〔一九〕"而何"，古逸丛书本、道藏本及道藏集注本均作"如何"，永乐
　　　　大典本同。"如"、"而"古通。

〔二〇〕"不"字，道藏集注本误作"又"。

〔二一〕王弼老子指略说："玄也者，取乎幽冥之所出也。"故而此处
　　　　说："玄德……出乎幽冥。"又，文选东京赋李善注引此段注文
　　　　作："玄德者，皆有德不知其至，出于幽冥者也。"道藏藏室纂
　　　　微本引作："玄德者，有德而不知其主，出乎幽冥者也。"

十一章

三十辐共一毂,当其无,有车之用。

毂〔一〕所以能统三十辐者,无也。以其无能受物之故,故能以(实)〔寡〕〔二〕统众也。

埏埴以为器,当其无,有器之用。凿户牖以为室,当其无,有室之用。故有之以为利,无之以为用。

木、埴〔三〕、壁所以成三者,而皆以无为用也。言无者,有之所以为利,皆赖无以为用也〔四〕。

【校释】

〔一〕“毂”,车轮中间凑辐贯轴部件。说文:“毂,辐所凑也。”六书故:“轮之正中为毂。空其中,轴所贯也,辐凑其外。”

〔二〕“寡”字,据陶鸿庆说校改。陶说:“‘实’为‘寡’字之误。此释三十共一之义。”按,陶说是。王弼之意正谓毂虽为一,然由于其以无为用,故虽少而能统众。如作“实”字,则与义乖违。“以寡统众”为王弼重要思想之一。他在周易略例明象中说:“夫众不能治众,治众者至寡也。”“夫少者,多之所贵也;寡者,众之所宗也。”

〔三〕“埴”,说文:“黏土也。”又,“木”字,波多野太郎说为“车”之坏字。

〔四〕<u>波多野太郎</u>说"言无者……"句中衍"无者"二字。本句当作："言有之所以为利,皆赖无以为用也。"

十二章

五色令人目盲，五音令人耳聋，五味令人口爽，驰骋畋猎令人心发狂，

爽，差失也。失口之用，故谓之爽。夫耳、目、口、心〔一〕，皆顺其性也。不以顺性命，反以伤自然，故曰盲、聋、爽、狂也〔二〕。

难得之货令人行妨。

难得之货塞人正路，故令人行妨也。

是以圣人为腹不为目，故去彼取此。

为腹者以物养己，为目者以物役己〔三〕，故圣人不为目也。

【校释】

〔一〕道藏集注本"口、心"二字倒乙。

〔二〕古逸丛书本"盲、聋"二字倒乙。

〔三〕"以物役己"之"物"字，道藏集注本误作"目"。

十三章

宠辱若惊,贵大患若身。何谓宠辱若惊?宠,为下得之若惊,失之若惊〔一〕,是谓宠辱若惊。

> 宠必有辱,荣必有患,(惊)〔宠〕〔二〕辱等,荣患同也。为下得宠辱荣患若惊〔三〕,则不足以乱〔四〕天下也。

何谓贵大患若身?

> 大患,荣宠之属也。生之厚必入死之地〔五〕,故谓之大患也。人迷之于荣宠,返之于身,故曰"大患若身"也〔六〕。

吾所以有大患者,为吾有身,

> 由有其身也。

及吾无身,

> 归之自然也。

32

吾有何患! 故贵以身为天下,若可寄天下;

> 无〔物可〕〔七〕以易其身,故曰"贵"也。如〔八〕此乃可以托天下也〔九〕。

爱以身为天下,若可托天下。

> 无物可以损其身,故曰"爱"也。如此乃可以寄天下也。不以宠辱荣患损易其身,然后乃可以天下付之也〔一〇〕。

【校释】

〔一〕"宠，为下得之若惊，失之若惊"句，可读为："宠为下，得之若惊，失之若惊。"此据王弼注"为下得宠辱荣患若惊"之意句读。

〔二〕"宠"字，据陶鸿庆说校改。按，下文均以"宠辱"与"荣患"并提，此处"惊辱"为"宠辱"之误无疑。

〔三〕"为下得宠辱荣患若惊"句，石田羊一郎老子王弼注刊误本校改为："辱生于宠，故曰宠为下，得宠辱荣患若惊，……"按，经文句读本可不同（见校释〔一〕），原注亦可通，不必如石田羊一郎改。

〔四〕"乱"，宇惠说：当作"治"字乃通。波多野太郎说："'乱'疑为'托'之讹。"按，此"乱"字当读作论语泰伯"吾有乱臣十人"之"乱"，义即为"治"。

〔五〕五十章王弼注："生生之厚，更之无生之地。"又说："蚖蟺以渊为浅，而凿穴其中；鹰鹯以山为卑，而增巢其上。矰缴不能及，网罟不能到，可谓处于无死地矣。然而卒以甘饵，乃入于无生之地，岂非生生之厚乎？"此均为明"生之厚"与"荣宠之属"，会使人入"死之地"。又，波多野太郎说："生之厚"当如五十章王弼注作"生生之厚"。

〔六〕"故曰大患若身也"，宇惠说："大患"上夺一"贵"字。按，此句为释经文"何谓贵大患若身"，似以有"贵"字为长。

〔七〕"物可"二字，据道藏集注本及陶鸿庆说校补。道藏集注本、道藏取善集本及道藏藏室纂微本于"无"下均有一"物"字。陶说："下句注云：'无物可以损其身，故曰爱也。如此乃可以寄天下也。'此注当云：'无物可以易其身，故曰贵也。如此乃可以托天下也。'十七章'悠兮其贵言'，注云：'无物可以易其言。'释'贵'字与此同，是其证也。"

〔八〕"如"字，道藏集注本夺。

〔九〕庄子让王："夫天下至重也，而不以害其生，又况他物乎？惟无以天下为者,可以托天下也。"又,"托"字,陶鸿庆说:当与下节注之"寄"字互易。按,陶说非。此非注文窜易,而是今本老子经文窜易。据长沙马王堆三号汉墓出土帛书老子甲、乙本此节经文均作"可以托天下",而下节经文则作"可以寄天下",可证此注文不误。

〔一○〕"付之"之"付"字,道藏集注本作"传"。

十四章

视之不见名曰夷，听之不闻名曰希，搏之不得名曰微。此三者不可致诘，故混而为一。

无状无象，无声无响，故能无所不通，无所不往。不得而知〔一〕，更以我耳、目、体不知为名，故不可致诘〔二〕，混而为一也。

其上不皦，其下不昧，绳绳不可名，复归于无物，是谓无状之状、无物之象。

欲言无邪，而物由以成。欲言有邪，而不见其形。故曰"无状之状、无物之象"也。

是谓惚恍。

不可得而定也〔三〕。

迎之不见其首，随之不见其后。执古之道，以御今之有，

有，有其事〔四〕。

能知古始，是谓道纪。

无形无名者，万物之宗也〔五〕。虽今古不同，时移俗易，故〔六〕莫不由乎此以成其治者也。故可执古之道以御〔七〕今之有。上古虽远，其道存焉，故虽在今可以知古始也〔八〕。

【校释】

〔一〕"不得而知"，道藏集注本作"不得知"。波多野太郎引一说谓：
　　"'得'上疑脱'可'字。"

〔二〕"致诘"，推问。

〔三〕"定"，确定、固定。此处指没有固定之形象。二十一章王弼注：
　　"恍惚，无形不系之叹。"

〔四〕道藏取善集本引此节注文作："古今虽异，其道常存，执之者方能
　　御物。"与各本均异，不知所本。

〔五〕"无形无名者"，即指道。"宗"，始、根之意。一章王弼注："故未
　　形无名之时，则为万物之始"，"言道以无形无名始成万物"。

〔六〕"故"，此处当读为"固"，本然之辞。

〔七〕"御"，治。按，长沙马王堆三号汉墓出土帛书老子甲、乙本经文
　　均作："执今之道，以御今之有，以知古始，是谓道纪。"未知孰是。

〔八〕此句意为，常道古今是不变的。四十七章王弼注："事有宗而物
　　有主，途虽殊而(同)〔其〕归〔同〕也，虑虽百而其致一也。道有大
　　常，理有大致。执古之道，可以御今；虽处于今，可以知古始。"意
　　与此同。

老子道德经注

十五章

古之善为士者,微妙玄通,深不可识。夫唯不可识,故强为之容。豫焉若冬涉川,

冬之涉川,豫然〔一〕若〔二〕欲度。若不欲度,其情不可得见之貌也〔三〕。

犹兮若畏四邻,

四邻合攻中央之主,犹然不知所趣向者也〔四〕。上德之人,其端兆〔五〕不可睹,(德)〔意〕趣〔六〕不可见,亦犹此也。

俨兮其若容,涣兮若冰之将释,敦兮其若朴,旷兮其若谷,混兮其若浊。

凡此诸若,皆言其容象不可得而形名也〔七〕。

孰能浊以静之徐清? 孰能安以久动之徐生?

夫晦以理〔八〕,物则得明;浊以静,物则得清;安以动,物则得生,此自然之道也。孰能者,言其难也。徐者,详慎也。

保此道者不欲盈,

盈必溢也〔九〕。

夫唯不盈,故能蔽不新成。

蔽,覆盖也〔一〇〕。

37

【校释】

〔一〕"豫然",迟疑不决貌。

〔二〕"若",道藏本作"者"字。

〔三〕"情",实。道藏集注本无"貌也"之"也"字。此节注文释经文"微妙玄通,深不可识",就如同冬天渡河者,既像欲渡,又像不欲渡,其实情不可得而见。

〔四〕"犹然",迟疑不决貌。道藏集注本无"趣向者也"之"者"字。

〔五〕"端兆",细微之迹象。此处指表露在外部之声色动作。

〔六〕"意"字,据陶鸿庆说校改。陶说:"十七章注云:'自然,其端兆不可得而见也,其意趣不可得而睹也。'与此同。""意趣",此处指内心之活动。

〔七〕此句意为,"凡此诸若(如同)",均说明"古之善为士者"之"深不可识",其声色动作、内心意趣,不能给以确定之形容或名称。又,道藏取善集本引此节注作:"藏精匿炤,外不异物,混同波尘,故曰若浊。"疑非王弼注文。

〔八〕"晦以理",意为虽晦暗不可见,然而自有明晰之条理。下文"浊以静"、"安以动"义同。

〔九〕道藏集注本脱此句注。

〔一○〕道藏集注本脱此句注。

十六章

致虚极，守静笃，

言致虚，物之极笃；守静，物之真正也〔一〕。

万物并作，

动作生长。

吾以观复。

以虚静观其反复。凡有起于虚，动起于静，故万物虽并动作，卒复归于虚静，是物之极笃也〔二〕。

夫物芸芸，各复归其根。

各返其所始也。

归根曰静，是谓复命。复命曰常，

归根则静，故曰"静"。静则复命，故曰"复命"也。复命则得性命之常，故曰"常"也〔三〕。

知常曰明。不知常，妄作，凶。

常之为物，不偏不彰〔四〕，无皦昧之状〔五〕、温凉之象〔六〕，故曰"知常曰明"也〔七〕。唯此复，乃能包通万物〔八〕，无所不容。失此以往，则邪入乎分，则物离其分〔九〕，故曰不知常则妄作凶也。

知常容，

39

无所不包通也。

容乃公，

无所不包通，则乃至于荡然公平也。

公乃王，

荡然公平，则乃至于无所不周普也。

王乃天，

无所不周普，则乃至于同乎天也。

天乃道，

与天合德，体道大通〔一〇〕，则乃至于〔穷〕〔一一〕极虚无也。

道乃久。

穷极虚无，得道〔一二〕之常，则乃至于不穷极也〔一三〕。

没身不殆。

无之为物，水火不能害，金石不能残。用之于心〔一四〕，则虎兕〔一五〕无所投其(齿)〔爪〕〔一六〕角，兵戈无所容其锋刃，何危殆之有乎！

【校释】

〔一〕陶鸿庆说："'物之极笃'疑涉下节注文'是物之极笃也'而误衍。原文当云：'致虚守静，物之真正也。''真正'即释'极'、'笃'之义。"石田羊一郎老子王弼注刊误本改此注为："言致虚，物之正极；守静，物之真笃也。"波多野太郎引一说："'极笃'之'笃'恐衍，'真正'二字当作'笃'。"按，此节注文恐有衍误，据文选华林园集诗李善注引王弼释"致虚极"注作："言至虚之极也。"则疑此节注文当作："言至虚之极也，守静之真也。""真"，即释经文"笃"义。

〔二〕"笃"，真实、朴实。老子指略说："未若抱素朴以全笃实。"即"笃"为"实"义。又，文选杂体诗李善注引此节注最后一句"是物之极笃也"，作"各反其始，归根则静也"，与今本异。

〔三〕"常",久。王弼以"静"为万物之根本、长久之道。周易恒卦上六王弼注:"安者,上之所处也;静者,可久之道也。"

〔四〕"偏",偏爱,私属。"不偏",即无所偏私。此处与"不彰"对文,意为没有暗地里之活动。"彰",明白可见。

〔五〕"皦",光明。"昧",昏暗。十四章:"其上不皦,其下不昧。"又,"皦"字,道藏本误作"敫"字。

〔六〕"温",有"善"、"柔"、"厚"等义。广雅释诂一:"温,善也。"诗小宛"饮酒温克",王肃注:"柔也。"枚乘七发"饮食则温淳甘膬",注:"凡味之厚也。""凉",有"不善"、"刚"、"薄"等义。小尔雅广言:"凉,薄也。"左传鲁闵公二年"龙凉",朱骏声说文通训定声:"不善也。"老子指略说:"无形无名者,万物之宗也。不温不凉,不宫不商。"又三十五章王弼注:"大象,天象之母也,〔不炎〕不寒,不温不凉……"此处"不偏不彰,无皦昧之状、温凉之象",均为说明"常"是无,是包通万有而没有任何具体事物那种偏于一方之属性。

〔七〕"知常曰明",五十五章王弼注:"不皦不昧,不温不凉,此常也。无形不可得而见,曰明也。"

〔八〕"包通",覆盖,贯通。永乐大典本无"乃"字。又,波多野太郎说:"'乃能'之'乃'字衍。'乃'、'能'相通,校者旁注误入。"

〔九〕"物离其分",道藏本及道藏集注本均无"其"字。陶鸿庆说:"则邪入乎分,则物离乎分"句意义不明,疑有误。陶说:"释文出注'则物离乎分'五字,云'扶问反',而不为上句'分'字作音,则上句'分'为误字无疑。以义求之,疑当作'知'。其文云:'失此以往,邪入乎知,则物离乎分,故曰不知常、妄作凶也。'音末两'则'字皆误衍。"按,"邪入乎分"之"分"字无误。疑"物离其分"之"分"字为"真"字之误。王弼在老子指略中说"名必有所分","有分则有不兼";又说"名之者离其真"等等。观此,此注

41

上文说"常"为"能包通万物、无所不容",是讲"常"无分能兼,下文则说离开"常","则邪入乎分",有分则有不兼,从而使"物离其真",所以又说"不知常"、"妄作凶"。两"则"字不必为误衍。又按,"物离其分"之"离"字或当释为"离祸"之"离",即"罹",义为"遭受"、"陷入"。如此则"分"字不必误,而上下文义也可通。"物离其分",意即物陷入于分而不知反"常"。然不如作"物离其真"于注义为长。

〔一〇〕"体道大通",意为体现出道包通万物、无所不容之品德。

〔一一〕"穷"字,据<u>陶鸿庆</u>说校补。下文"穷极虚无,得道之常"即承此言,所以当有"穷"字。

〔一二〕"道"字,<u>道藏集注</u>本与<u>永乐大典</u>本均作"物"字。

〔一三〕"不穷极也",<u>古逸丛书</u>本与<u>道藏</u>本均作"不有极也"。作"穷"者为<u>清</u>四库馆臣据<u>永乐大典</u>本校改。又,<u>道藏集注</u>本脱"不"字。

〔一四〕"用之于心",意为以"无"用之于心,即使心无思虑、无欲求,如此才能无危殆。五十章<u>王弼</u>注:"善摄生者,无以生为生,故无死地也。器之害者,莫甚乎(戈兵)〔兵戈〕;兽之害者,莫甚乎兕虎。而令兵戈无所容其锋刃,虎兕无所措其爪角,斯诚不以欲累其身者也,何死地之有乎?……故物,苟不以求离其本,不以欲渝其真,虽入军而不害,陆行而不(可犯)〔犯,可〕也。"

〔一五〕"兕",<u>说文</u>:"如野牛,青色,其皮坚厚可制铠。""虎兕",<u>道藏</u>集注本作"兕虎"。

〔一六〕"爪"字,据<u>道藏集注</u>本及<u>永乐大典</u>本校改。按,五十章<u>王弼</u>注"虎兕无所措其爪角"同此。

老子道德经注

十七章

太上，下知有之。

太上，谓大人也。大人在上，故曰"太上"。大人在上，居无为之事，行不言之教，万物作焉而不为始〔一〕，故下知有之而已。言从上也〔二〕。

其次，亲而誉之。

不能以无为居事，不言为教，立善行施〔三〕，使下得亲而誉之也。

其次，畏之。

不复能〔四〕以恩仁令物，而赖威权也。

其次，侮之。

不能（法）以正齐民〔五〕，而以智治国，下知避之，其令不从，故曰"侮之"也〔六〕。

信不足，焉有不信焉。

夫御体失性〔七〕，则疾病生；辅物失真，则疵衅作〔八〕。信不足焉，则有不信〔九〕，此自然之道也。已处不足，非智之所（齐）〔济〕也〔一〇〕。

43

悠兮其贵言。功成事遂，百姓皆谓我自然。

自然，其端兆不可得而见也，其意趣不可得而睹也。无物可以易其言，言必有应，故曰"悠兮其贵言"也〔一一〕。居无为之事，行不言之教，不以形立物〔一二〕，故功成事遂，而百姓不知其所以然也。

【校释】

〔一〕按，"万物作焉而不为始"之"始"字，疑当作"施"字，音近而误。下文注说"不能以无为居事，不言为教，立善行施……"正承此言，可为证。又，五章王弼注："天地任自然，无为无造，万物自相治理，故不仁。仁者必造立施化，有恩有为。……"意与此同，亦可为"始"当作"施"之证。

〔二〕"言从上也"四字，道藏本与道藏集注本均在下节经文"信不足，焉有不信焉"句注文之首。又，张之象本原与道藏同，清四库馆臣据永乐大典本校改于此。按，当从道藏本等。此节注文至"故下知有之而已"文义已足，不必更有"言从上也"以为蛇足。然"言从上也"四字在下节"信不足，焉有不信焉"句注文之首，则正为释因在上者信不足，于是下从上而亦有不信，并与下文"夫御体失性……"文义相接。

〔三〕波多野太郎说："不言为教"上宜补一"以"字。"行施"，道藏集注本作"施化"。

〔四〕"复能"，古逸丛书本、道藏本、道藏集注本均作"能复"。

〔五〕"法"字，据陶鸿庆说校删。又陶说："以正齐民"之"正"当为"法"字之误。其说："'法'字古文作'金'，遂误为'正'，后人辄增'法'字以足义耳。"按，"法"为衍文，当删。"正"不必为"法"字之误。"正"通"政"，"以正齐民"，即如论语为政"道之以政，齐之以刑"之意，亦即上节注文所谓之"赖威权"。

〔六〕六十五章王弼注："民之难治，以其多智也。当务塞兑闭门，令无知无欲。而以智术动民，邪心既动，复以巧术防民之伪，民知其术，(防随)〔随防〕而避之，思惟密巧，奸伪益滋，故曰：'以智治国，国之贼也。'"

〔七〕"御"，治。"御体失性"，意为调理身体而不合身体之自然本性，所以说"则疾病生"。

〔八〕"衅"，瑕。"疵衅"，瑕疵，污点，也为有毛病之意。

〔九〕按，经文"信不足，焉有不信焉"句，据马叙伦说句读。马引王念孙说：上"焉"字，"于是也"。又说，王弼注"信不足焉，则有不信"，是王弼不明"焉"字当作"于是"义解，故增"则"字解之。马说是。然观二十三章经文末亦有"信不足，焉有不信焉"句，而王弼注作"忠信不足于下，焉有不信焉"，则王弼释经文之意并不误，此处"则"字恐为衍文。又按，马叙伦说：疑此（指二十三章"信不足"句）为"十七章错简在此，校者不敢删，因复记之成今文矣"。录以参考。

〔一〇〕"济"字，据道藏本与道藏集注本校改。"济"，赒救。"非智之所济也"，意为既已处于不足，则不是用智所能救助而成的。

〔一一〕"悠"，闲暇貌，无所作为之意，道藏集注本作"犹"字。"贵言"，意为不轻易立言。

〔一二〕"形"，通"刑"。"不以形立物"，即不"赖威权"、不"以正（政）齐民"之意。

十八章

大道废,有仁义;

失无为之事,更以施慧立善〔一〕,道进物也〔二〕。

慧智出,有大伪;

行术用明〔三〕,以察奸伪,趣睹形见〔四〕,物知避之〔五〕。故智慧〔六〕出则大伪生也。

六亲不和,有孝慈;国家昏乱,有忠臣。

甚美之名,生于大恶,所谓美恶同门〔七〕。六亲,父子、兄弟、夫妇也。若六亲自和、国家自治,则孝慈、忠臣不知其所在矣。鱼相忘于江湖之道,则相濡之德生也〔八〕。

【校释】

〔一〕"更",说文:"改也。""慧",通"惠"。道藏集注本正作"惠"。又,"施慧",道藏本误作"于慧"。宇惠据此以为当作"智慧"。

〔二〕"道进物也",意为失道之纯朴而进于有形之物。即如二十八章所说之"朴散则为器"、三十八章所说之"失道而后德"。

〔三〕"行术用明",任用法术和智慧。

〔四〕"趣",意趣。"形",指声色动作。"趣睹形见",意为如果任用法

46

术智慧，那末统治者的内心活动及声色就都暴露出来了。十五章<u>王弼</u>注说："上德之人，其端兆不可睹，（德）〔意〕趣不可见。"十七章<u>王弼</u>注也说："自然，其端兆不可得而见也，其意趣不可得而睹也。……故功成事遂，而百姓不知其所以然也。"

〔五〕"物知避之"，意为统治者之意趣、端兆都暴露出来，万物就知道如何防备、躲避了。六十五章<u>王弼</u>注："民知其术，（防随）〔随防〕而避之。"

〔六〕"智慧"，<u>道藏集注</u>本作"智惠"。

〔七〕二章<u>王弼</u>注："美恶犹喜怒也，善不善犹是非也。喜怒同根，是非同门，故不可得而偏举也。"又，"同门"，<u>道藏集注</u>本误作"同内"。

〔八〕"鱼相忘于江湖之道"，语出<u>庄子大宗师</u>："泉涸，鱼相与处于陆，相呴以湿，相泻（或作濡）以沫，不如相忘于江湖。"（又见<u>庄子天运</u>）按，"鱼相忘于江湖之道，则相濡之德生也"，文义不通，疑有脱误。<u>陶鸿庆</u>说："'之道'上夺'相忘'二字，下夺'失'字。其文云：'鱼相忘于江湖，相忘之道失，则相濡之德生也。''鱼相忘于江湖'，语出<u>庄子</u>，而<u>庄子天运篇郭</u>注云'失于江湖，乃思濡沫'，义与此同。"<u>陶</u>说可通。然细玩<u>王弼</u>注文之意，于前文说"六亲自和，国家自治，则孝慈忠臣不知其所在矣"，则此处似当作"鱼相忘于江湖之道，则相濡之德〔不知其所〕生也"。其以"鱼相忘于江湖之道"承"六亲自和，国家自治"之义，以"则相濡之德〔不知其所〕生也"，与"则孝慈忠臣不知其所在矣"对文。其意谓因"六亲自和，国家自治"，则不须有"孝慈忠臣"之名；因"鱼相忘于江湖之道"，则不须有"相濡之德"。然因"相濡之德"下误夺"不知其所"四字，以致文义不畅。

　　绝圣弃智,民利百倍;绝仁弃义,民复孝慈;绝巧弃利,盗贼无有。此三者,以为文不足,故令有所属,见素抱朴,少私寡欲。

　　圣智,才之善也;仁义,(人)〔行〕〔一〕之善也;巧利,用之善也。而直云绝〔二〕,文甚不足〔三〕,不令之有所属〔四〕,无以见其指〔五〕。故曰此三者以为文而未足,故令人有所属〔六〕,属之于素朴寡欲。

【校释】

〔一〕"行"字,据易顺鼎及宇惠说校改。按,作"行"字是。释文正作"行"字。"行"与上文"才"、下文"用"相对,从三方面说明人之最善者。

〔二〕"而直云绝",道藏集注本重一"云"字。又波多野太郎说:据经文"绝"下当有一"弃"字。

〔三〕"文",文饰,引申为示范或教育之意。波多野太郎引一说,以为"文甚"恐为"文而"之误。

〔四〕"属",足,与上"不足"对言。左传昭公二十八年:"愿以小人之腹为君子之心,属厌而已。"杜预注:"属,足也。言小人之腹饱犹知厌足,君子之心亦宜然。"又,道藏集注本无"不令之""之"字。

〔五〕"指",通"旨",宗旨。

〔六〕波多野太郎引一说,以为"故曰此三者以为文而未足"之"而"为
　　衍文。"故令人有所属"之"人"字当作"之"。

二十章

绝学无忧。唯之与阿，相去几何？善之与恶，相去若何？人之所畏，不可不畏。

下篇〔云〕〔一〕，为学者日益，为道者日损〔二〕。然则学求益所能〔三〕，而进其智者也。若将无欲而足，何求于益？不知而中〔四〕，何求于进？夫燕雀有匹，鸠鸽有仇〔五〕；寒乡之民，必知旃裘〔六〕。自然已足，益之则忧。故续凫之足，何异截鹤之胫〔七〕；畏誉而进，何异畏刑〔八〕？唯（阿）〔诃〕美恶〔九〕，相去何若〔一〇〕。故人之所畏，吾亦畏焉，未敢恃之以为用也。

荒兮其未央哉！

叹与俗相（返）〔反〕之远也〔一一〕。

众人熙熙，如享太牢，如春登台。

众人迷于美进，惑于荣利，欲进心竞，故熙熙〔一二〕如享太牢〔一三〕、如春登台也〔一四〕。

50

我独泊兮其未兆，如婴儿之未孩。

言我廓然〔一五〕无形之可名，无兆之可举，如婴儿之未能孩也〔一六〕。

儽儽兮若无所归。

若无所宅。

众人皆有馀，而我独若遗。

众人无不有怀有志，盈溢胸心，故曰"皆有餘"也。我独廓然无为无欲，若遗失之也。

我愚人之心也哉！

绝愚之人，心无所别析，意无所（好欲）〔美恶〕〔一七〕，犹然其情不可睹〔一八〕，我颓然若此也〔一九〕。

沌沌兮！

无所别析，不可为（明）〔名〕〔二〇〕。

俗人昭昭，

耀其光也。

我独昏昏；俗人察察，

分别别析也〔二一〕。

我独闷闷。淡兮其若海，

情不可睹。

飂兮若无止。

无所系縶〔二二〕。

众人皆有以，

以，用也。皆欲有所施用也。

而我独顽似鄙。

无所欲为，闷闷昏昏，若无所识，故曰"顽且鄙"也〔二三〕。

我独异于人，而贵食母。

食母，生之本也〔二四〕。人（者）〔二五〕皆弃生民之本，贵末饰之华〔二六〕，故曰"我独欲异于人"〔二七〕。

【校释】

〔一〕"云"字，据道藏集注本校补。

〔二〕语见四十八章："为学日益，为道日损；损之又损，以至于无为。"

〔三〕"然则学求益所能"，道藏集注本作"然则学者之求益所能"。

〔四〕"中",当也。

〔五〕"仇",尔雅释诂"合也",匹配之意。又"燕雀"之"燕",原作"鷰",清四库馆臣据永乐大典本校改。

〔六〕"旃",通"毡";"裘",皮衣。

〔七〕语出庄子骈拇:"长者不为有馀,短者不为不足。是故凫胫虽短,续之则忧;鹤胫虽长,断之则悲。故性长非所断,性短非所续,无所去忧也。"又,周易损卦彖辞王弼注也说:"自然之质,各定其分:短者不为不足,长者不为有馀,损益将何加焉?"又,"胫"字,古逸丛书本作"颈"。

〔八〕此句意为,畏惧荣誉之增添如同畏惧刑罚加身一样。宇惠说:"誉"字当作"学"。

〔九〕"唯",唯诺。"诃",说文:"大言而怒也。"原为"阿",据刘师培、易顺鼎说校改。易说:"唯"、"阿"义同,于文不合,疑"阿"当作"呵"。按,刘、易之说是。据长沙马王堆三号汉墓出土帛书老子甲本经文作"诃",乙本经文作"呵"。"呵"乃"诃"之俗文。又,老子经文"善之与恶"当如注作"美之与恶",帛书老子甲乙本均作"美"可证。

〔一〇〕"何若",何如,几许。意为"美"与"恶"相去无几。十八章王弼注:"甚美之名,生于大恶,所谓美恶同门。"

〔一一〕"反"字,据宇惠说校改。按,据文义,此处为"相反"义,当作"反"。古文"返"可作"反",然未有"反"作"返"者。

〔一二〕"熙熙",悦乐貌。河上公注:"淫放多情欲也。"

〔一三〕"享",通"飨",祭祀。"太牢",吕氏春秋仲春纪高诱注:"三牲(牛、羊、豕)具曰太牢。"又,"如享太牢"之"如"字,道藏本及道藏集注本均作"若"。"如"、"若"义通。

〔一四〕"如春登台",成玄英老子道德经疏:"又如春日登台,眺望村野。"河上公注:"春时阴阳交通,万物感动,登台观之,意志淫淫然。”

〔一五〕“廓然”,空广貌。

〔一六〕“孩”,借作“咳”。<u>长沙马王堆三号汉墓出土帛书老子乙本</u>经文正作“咳”字。<u>说文</u>:“咳,小儿笑也。”又,<u>道藏</u>本无“之”字,作“婴儿未能孩也”。

〔一七〕“美恶”二字,据<u>古逸丛书</u>本校改。按,“好欲”当作“美恶”,“意无所美恶”,正与上文“心无所别析”文义相应。又,<u>宇惠</u>本作“好恶”,义亦可通。

〔一八〕“其情不可睹”,见十五章<u>王弼</u>注:“上德之人,其端兆不可睹,(德)〔意〕趣不可见。”

〔一九〕“颓然”,顺从貌。<u>礼记檀弓上</u>:“拜而后稽颡,颓乎其顺也。”<u>郑玄</u>注:“颓,顺也。”<u>孔颖达</u>疏:“颓然,不逆之意也。”

〔二〇〕“名”字,据<u>古逸丛书</u>本、<u>道藏</u>本、<u>道藏集注</u>本校改。按,“明”当是“名”字之音误。二十五章<u>王弼</u>注:“名以定形。混成无形,不可得而定,故曰不知其名。”三十八章<u>王弼</u>注:“名则有所分,形则有所止。”又,<u>王弼老子指略</u>:“名必有所分,称必有所由;有分则有不兼,有由则有不尽。”“名也者,定彼者也。”据此,知“名”为有所别析之意。此注说“无所别析”,则当作“不可为名”为是。再则,“名”不当为“明”,亦可由十六章“知常曰明”注文之意证之。十六章<u>王弼</u>注说:“常之为物,不偏不彰,无曒昧之状、温凉之象,故曰知常曰明。”五十五章<u>王弼</u>注:“无形不可得见,〔故曰知常〕曰明也。”“常”,即“无所别析”,故知“无所别析”亦即“知常”,可称为“明”。此注既说“无所别析”,则不当说是“不明”,亦显而易见者。

〔二一〕“分别别析也”,<u>陶鸿庆</u>说:当作“有所别析也”。“此章经文以‘有为’、‘无为’对举成义,上文注两言‘无所别析’,疑此注‘分别’即‘有所’二字之误。”又,<u>宇惠</u>说:“‘分别别析也’下

'别'字,恐为'剖'字之误。"

〔二二〕"絷",连。道藏集注本"系絷"作"系系"。

〔二三〕"顽",愚钝。又,左传僖公二十四年:"心不则德义之经为
顽。""鄙",朴野、不仁之义。

〔二四〕"食母",指道。按,"生"字下疑脱一"民"字。此注当作:"食
母,生民之本也。"下文"弃生民之本"句,正承此言。

〔二五〕"者"字,据易顺鼎、陶鸿庆说校删。陶说:"'人'下不当有
'者'字,即'皆'字之误而衍者。或当在'食母'下。"

〔二六〕"本",指道、母、朴。"末",指仁、义、礼、智。又,"末饰",道藏
集注本误作"未饰"。

〔二七〕按,此句疑当作"故曰我欲独异于人"。长沙马王堆三号汉墓
出土帛书老子甲乙本经文均作"我欲独异于人,而贵食母",
可证。

二十一章

孔德之容,惟道是从。

孔,空也。惟〔一〕以空为德,然后乃能动作从道〔二〕。

道之为物,惟恍惟惚。

恍惚,无形不系之叹〔三〕。

惚兮恍兮,其中有象;恍兮惚兮,其中有物。

以无形始物,不系成物,万物以始以成,而不知其所以然,故曰"恍兮惚兮,〔其中有物〕"〔四〕、"惚兮恍兮,其中有象"也〔五〕。

窈兮冥兮,其中有精;

窈冥,深远之叹〔六〕。深远不可得而见,然而万物由之。(其)〔不〕〔七〕可得见,以定其真〔八〕,故曰"窈兮冥兮,其中有精"也。

其精甚真,其中有信。

信,信验也。物反窈冥,则真精之极得,万物之性定,故曰"其精甚真,其中有信"也。

自古及今,其名不去,

至真之极〔九〕,不可得名。无名,则是其名也。自古及今,无不由此而成,故曰"自古及今〔一〇〕,其名不去"也。

以阅众甫。

55

众甫,物之始也,以无名(说)〔阅〕〔一一〕万物始也〔一二〕。

吾何以知众甫之状哉? 以此。

此,上之所云也。言吾何以知万物之始于无哉〔一三〕,以此知之也。

【校释】

〔一〕"惟",道藏本及道藏集注本均作"唯"。"唯"、"惟"古通。

〔二〕"空",虚无,无为。十六章王弼注:"凡有起于虚,动起于静,故万物虽并作,卒复归于虚静,是物之极笃也。"

〔三〕道藏集注本脱此节注文。

〔四〕"其中有物"四字,据俞樾说校补。俞说:"'恍兮惚兮'下当有'其中有物'四字。注乃全举经文。"宇惠说:"'其中有象'之'象'上疑脱'物'字。"

〔五〕此处所讲"有物"、"有象"均为"恍惚"之物象,亦即所谓"无状之状,无物之象"。十四章王弼注:"欲言无邪,而物由以成;欲言有邪,而不见其形,故曰无状之状、无物之象也。"

〔六〕"之叹"二字,文选锺山诗应西阳王教李善注引作"貌"。易顺鼎说:据此,"叹"字当为"状"字之误。上"恍惚,无形不系之叹"之"叹"亦当作"状"。又,"叹"字,道藏集注本误作"欺"。按,作"貌"或"状"于义为长。

〔七〕"不"字,据文选锺山诗应西阳王教李善注引校改。按,据上下文义当作"不"字。此作"其"者,易顺鼎说涉下文之"其"字而误。

〔八〕"真",实。"以定其真",意为道虽窈冥深远不可见,但万物根据它才得定其实在。即下节注所谓"物反窈冥,则真精之极得,万物之性定"。

〔九〕"至真之极",即指道、无、朴、常。三十二章王弼注:"道,无形不系,常不可名。以无名为常,故曰道常无名也。"

〔一〇〕"故曰自古及今",道藏集注本及老子经文及注均作"故曰自今及古"。按,长沙马王堆三号汉墓出土帛书老子甲乙本经文均作"自今及古"。据此,此段王弼注文两处"自古及今"当均为"自今及古"之误。

〔一一〕"阅"字,据宇惠说校改。按,此为释经文"以阅众甫";当作"阅",作"说"者音同而误。道藏取善集本正作"阅"。

〔一二〕此节注文林罗山老子经抄、归有光批阅老子道德经本及王夫之老子衍均引作:"阅自门出者,一一而数之,言道如门,万物皆自此以往也。"按,此皆据焦竑老子翼注"王辅嗣曰:信,验也。阅自门出者,一一数之,言道如门,万物皆自此以往也"误抄。其实,自"阅自门出者"以下非王注。

〔一三〕"言吾何以知万物之始于无哉"句,道藏集注本作:"言吾何以知万物之始,皆始于无哉。"波多野太郎说:疑集注"皆"上衍"始"一字,诸本"始"上均脱一"皆"字。

二十二章

曲则全，

（不自见，〔则〕其明（则）全也。）〔一〕

枉则直，

（不自是，则其是彰也。）

洼则盈，

（不自伐，则其功有也。）

敝则新，

（不自矜，则其德长也。）

少则得，多则惑。

自然之道，亦犹树也。转多转远其根〔二〕，转少转得其本。多则远其真〔三〕，故曰"惑"也。少则得其本，故曰"得"也。

是以圣人抱一，为天下式。

一，少之极也。式，犹则（之）也〔四〕。

不自见故明，不自是故彰，不自伐故有功，不自矜故长。夫唯不争，故天下莫能与之争。

古之所谓曲则全者，岂虚言哉！诚全而归之。

【校释】

〔一〕此句据易顺鼎、陶鸿庆说校改。按,下各节注作"不自是,则其是彰也"、"不自伐,则其功有也"、"不自矜,则其德长也",均为同一句法。此句"则"字误在"明"字下,为传抄而误,故据改。道藏集注本"明"误作"名"。清四库馆臣亦说:"明"原误作"名",据永乐大典本校。又按,此节注并下"不自是,则其是彰也"、"不自伐,则其功有也"、"不自矜,则其德长也"三节注文,据易顺鼎说移至二十四章,说见该章校释〔二〕。

〔二〕"转",愈也。四十二章王弼注:"以一为主,一何可舍? 愈多愈远,损则近之,损之至尽,乃得其极。"义与此同。

〔三〕"真",即本也。

〔四〕"之"字,据文选养生论李善注引校删。波多野太郎说:"'也'、'之'形似而衍也。……'也'、'之'谊相通。"四十二章王弼注"万物万形,其归一也"、"以一为主",所以此处以"一"为天下万事万物之法则。按,二十八章王弼注"式,模则也",正可证此处"之"字为衍文。

二十三章

希言自然。

听之不闻名曰希〔一〕。下章言道之出言，淡兮其无味也，视之不足见，听之不足闻〔二〕。然则无味不足听之言〔三〕，乃是自然之至言也。

故飘风不终朝，骤雨不终日。孰为此者？天地。天地尚不能久，而况于人乎？

言暴疾美兴不长也〔四〕。

故从事于道者，道者同于道，

从事，谓举动从事于道者也。道以无形无为成济万物，故从事于道者以无为为君〔五〕、不言为教，绵绵若存，而物得其真。与道同体，故曰"同于道"。

德者同于德，

得，少也。少则得，故曰得也。行得则与得同体，故曰"同于得"也〔六〕。

失者同于失。

失，累多也。累多则失，故曰"失"也。行失则与失同体，故曰"同于失"也〔七〕。

同于道者，道亦乐得之；同于德者，德亦乐得之；同于失者，失亦乐得之。

言随(行)其所〔行〕，故同而应之〔八〕。

信不足,焉有不信焉。

忠信不足于下,焉有不信焉〔九〕。

【校释】

〔一〕见十四章:"视之不见名曰夷,听之不闻名曰希,搏之不得名
　　曰微。"

〔二〕"下章",指三十五章。三十五章说:"道之出(口)〔言〕,淡乎其无
　　味,视之不足见,听之不足闻,用之不足既。"

〔三〕按,"不足听之言",疑当作"不足闻之言"。前文两处均说"听之
　　不闻"、"听之不足闻"。

〔四〕波多野太郎引一说:"'兴'疑'誉'之误。"又,石田羊一郎老子王
　　弼注刊误改此节注为:"言暴兴疾步不长也。"并说:"'步'本作
　　'美',不知何义,因改'暴兴'与'疾步'对。'暴兴'以训'飘',
　　'疾步'以释'骤'。"按,"疾美"二字疑衍。此句原当作:"言暴
　　兴不长也。"三十章王弼注:"飘风不终朝,骤雨不终日,故暴兴必
　　不道,早已也。"义正与此相同。

〔五〕蒋锡昌老子校诂以为"以无为为君"之"君"字,疑当作"居"字。
　　按,作"居"为是。如十七章王弼注:"大人在上,居无为之事,行
　　不言之教。"六十三章王弼注:"以无为为居,以不言为教,以恬
　　淡为味,治之极也。"七十二章王弼注:"清(净)〔静〕无为谓之
　　居。"并可为证。"居",处也,安也。

〔六〕此节注文陶鸿庆说:"'得,少也'义不可通。'德'、'得'二字古
　　虽通用,而经文自作'德'。此注当云:'德,得也。少则得,故曰
　　德也。行得则与德同体,故曰同于德也。''少则得,多则惑'本
　　上章经文。"波多野太郎说:"陶说非是,此注与下注相对为句。
　　'得,少也'、'失,累多也'相对;'少则得,故曰得也'、'累多则
　　失,故曰失也'相对;'行得则与得同体,故曰同于得也'、'行失
　　则与失同体,故曰同于失也'亦相应,乃知此注本无误。"按,注文

义无误,不必如陶说改。"得"、"德"古通,道藏集注本"少则得"之"得"字正作"德"。又,易顺鼎、刘师培据王注均作"得",并以为老子经文"德者同于德"两"德"字均当作"得",与下文"失者同于失"对。

〔七〕此节注文陶鸿庆说:"此当云'失,累也。多则累,故曰失也。行累则与失同体,故曰同于失也'。'累',读如庄子'有人者累'之'累'。"波多野太郎说:"陶说臆改甚矣,此注与上注相对为句,无误。"按,此节注文义自可通,且与上节注文相对,不必如陶说改。又,道藏集注本"则与失同体"句于"则"下衍一"失"字。

〔八〕此节注文据陶鸿庆说校改。陶说:"'随行其所'当作'随其所行',承上文'行得'、'行累'而言。'故'字疑衍。"按,陶说是。此节注文意为道随物所行而应之。因此节经文已误,故注文难解。今据长沙马王堆三号汉墓出土帛书老子甲乙本,此节经文均作:"同于德者,道亦德之;同于失者,道亦失之。"王注之义正同此。

〔九〕按,此节经文与注均为十七章文而误衍于此。长沙马王堆三号汉墓出土帛书老子甲乙本此章均无此节经文可证。参看十七章校释〔九〕。

二十四章

企者不立，

物尚进则失安，故曰"企者不立"〔一〕。

跨者不行，自见者不明，

〔不自见，则其明全也。〕

自是者不彰，

〔不自是，则其是彰也。〕

自伐者无功，

〔不自伐，则其功有也。〕

自矜者不长。

〔不自矜，则其德长也。〕〔二〕

其在道也，曰馀食赘行。

其唯于道而论之，若郤至之行〔三〕，盛馔之馀也。本虽美，更可薉也〔四〕。本虽有功而自伐之，故更为肬赘者也〔五〕。

物或恶之，故有道者不处。

【校释】

〔一〕"企"，同"跂"，进也。此句意为，物尚进于荣利则失安，所以说尚进者不得久立。

〔二〕以上四节注文据易顺鼎说由二十二章校移至此。易说："二十二

章'曲则全'注云:'不自见,则其明全也。''枉则直'注云:'不自
是,则其是彰也。''洼则盈'注云:'不自伐,则其功有也。''敝则
新'注云:'不自矜,则其德长也。'注与经文全不相合,盖本系此
四句之注,不知何时夺误,移注于彼耳。"

〔三〕"郤至之行",郤至,春秋时晋大夫。左传成公十六年载,晋与楚
鄢陵之战,楚败,"晋侯使郤至献楚捷于周,与单襄语,骤称其伐。
单子语诸大夫曰:'温季(即郤至)其亡乎? 位于七人之下,而求
掩其上,怨之所聚,乱之本也。多怨而阶乱,何以在位。夏书曰:
怨岂在明,不见是图,将慎其细也。今而明之其可乎!'"杜预注:
"言郤至显称己功,所以明怨咎。"王弼引此以说明经文"自见者
不明……自矜者不长"之所以为"馀食赘行"之意。

〔四〕"蔵",荒芜,引申为恶义。

〔五〕"故更为肬赘者也",文选奏弹王源李善注引此句无"者"字。
又,此节注文陶鸿庆说:"'唯'当为'在'字之误。'而论之'当在
下文'本虽美'之下,'本虽美而论之'与'本虽有功而自伐之'文
义一律。'论'谓言说。'论'与'自伐',皆承经文'自见'、'自
是'、'自伐'、'自矜'而言也。'本虽美而论之'二句,释经文
'馀食';'本虽有功而自伐之'二句,释经文'赘行'。"波多野太
郎说:"陶说非是。夫惟云云,故是老子句法,弼效之曰'其惟'
云故也。而'其唯于道而论之',释经文'其在道也'四字。'且
自伐之'四字涉经文'自伐者'而衍。'者'字亦衍,'故'字应在
'赘'字下,此下宜补'曰馀食赘行'五字。其文云:'其唯于道而
论之,若郤至之行,盛馔之馀。本虽美,更可蔵也,本虽有功更
为肬赘,故曰馀食赘行也。'然陆氏(释文)既出'更为肬'三字,
其误久矣。"按,注文文义自可通,不必如陶说、波说改易。又按,
此章经文长沙马王堆三号汉墓出土帛书老子甲乙本均在今本二
十一章后、二十二章前,与今本章次异。

二十五章

有物混成,先天地生,

混然不可得而知,而万物由之以成,故曰"混成"也。不知其谁之子,故〔一〕先天地生。

寂兮寥兮,独立不改,

寂寥〔二〕,无形体也。无物(之匹)〔匹之〕〔三〕,故曰"独立"也。返化〔四〕终始,不失其常,故曰"不改"也。

周行而不殆,可以为天下母。

周行无所不至而(免)〔不危〕殆〔五〕,能生全大形也〔六〕,故可以为天下母也〔七〕。

吾不知其名,

名以定形。混成无形,不可得而定,故曰"不知其名"也。

字之曰道,

夫名以定形,字以称可〔八〕。言道取于无物而不由也,是混成之中,可言之称最大也。

强为之名曰大。

吾所以字之曰道者,取其可言之称最大也。责其字定〔九〕之所由,则系于大。(大)〔夫〕〔一〇〕有系则必有分,有分则失其极矣〔一一〕,故曰"强为之名曰

65

大"〔一二〕。

大曰逝，

逝，行也。不守一大体而已〔一三〕，周行无所不至，故曰"逝"也。

逝曰远，远曰反。

远，极也。周〔行〕〔一四〕无所不穷极，不偏于一逝〔一五〕，故曰"远"也。不随于所适〔一六〕，其体独立，故曰"反"也〔一七〕。

故道大，天大，地大，王亦大。

天地之性人为贵，而王是人之主也，虽不职〔一八〕大，亦复为大。与三匹〔一九〕，故曰"王亦大"也。

域中有四大，

四大，道、天、地、王也。凡物有称有名，则非其极也〔二〇〕。言道则有所由，有所由〔二一〕，然后谓之为道，然则（是道）〔道是〕〔二二〕称中之大也。不若无称之大也〔二三〕。无称不可得而名，〔故〕〔二四〕曰域也。道、天、地、王皆在乎无称之内，故曰"域中有四大"者也〔二五〕。

而王居其一焉。

处人主之大也。

人法地，地法天，天法道，道法自然。

法，谓法则也。人不违地，乃得全安，法地也。地不违天，乃得全载，法天也。天不违道，乃得全覆，法道也。道不违自然，乃得其性，〔法自然也〕〔二六〕。法自然者，在方而法方，在圆而法圆，于自然无所违也〔二七〕。自然者，无称之言、穷极之辞也〔二八〕。用智不及无知〔二九〕，而形魄不及精象，精象不及无形，有仪不及无仪〔三〇〕，故转相法也〔三一〕。道（顺）〔法〕〔三二〕自然，天故资焉。天法于道，地故则焉。地法于天，人故象焉。〔王〕所以为主，其（一）〔主〕之者（主）〔一〕也〔三三〕。

【校释】

〔一〕宇惠说："'故'字下当有'曰'字。"

〔二〕"寂寥"，宇惠本作"寂寞"。

〔三〕"匹之",据陶鸿庆说校改。"无物匹之",意为无物可与"无"相匹敌。按,陶说是,六十二章王弼注说:"言道无所不先,物无有贵于此也。虽有珍宝璧马,无以匹之。"可证此处之"之匹"当作"匹之"。

〔四〕"返",归。"化",变。波多野太郎引一说:"返"当作"变"。

〔五〕"而不危殆",据陶鸿庆说校改。陶说:"'而免殆'当作'而不危殆'。永乐大典本'免'正作'危',而夺去'不'字。后人辄改'危'为'免',非注意也。"按,陶说是。王弼此句为释经文"而不殆"。"殆",危也,所以说"而不危殆"。王弼之意,道不仅是"免殆",而且是根本"不危殆",若作"免殆",则于王弼之意不合。

〔六〕"大形",即无形,指道。波多野太郎说:"生"字疑涉"全"字而衍。按,此句疑当作"能全大形也"。意为,道周行无所不至而不危殆,不拘守于一体,所以能全其大形,为天下母。又,波多野太郎说:"'免殆'二字应移置'能'字下,其文云:'周行无所不至,而能免殆,全大形也。'"

〔七〕"天下母",道藏集注本作"天地母"。

〔八〕"可",说文:"肯也。""字以称可",意为"字"是对物有所肯定的称号。

〔九〕"字定",波多野太郎说:"'定'字衍,宜删。'字'、'定'形似,一本或作'定',校者旁注,后转写搀入也。'字'者,承上注'所以字之曰道'之'字'。"

〔一〇〕"夫"字,据陶鸿庆说校改。按,此处重"大"字无义,乃涉上一"大"字而误,故当改。

〔一一〕"极",即二十一章所谓之"真精之极",指混然不分之道。

〔一二〕"强为之名曰大",道藏本作"强之为名曰大"。

〔一三〕"不守一大体而已",陶鸿庆说:"'大'字当在'不守'上,乃叠经文。"按,注文自可通,不必如陶说改。此句释经文"大曰

逝"，即明"大"之特性为"逝"，而不以"大"为一体而固守不
行，所以说："不守一大体而已。"

〔一四〕"行"字，据陶鸿庆说校补。按，以上两节注均作"周行无所不
至"，可见此处"周"下当有一"行"字。

〔一五〕"不偏于一逝"，道藏集注本作"不偏于一所"。此句意为，
"道"不偏于一方之行，而是周行无所不穷极。

〔一六〕"适"，往，止。"不随于所适"，意为"道"有独立之本体，即"混
然"、"无形体"，而不随其所化生之万物而止于"有分"、"有形
体"。

〔一七〕"其体独立"，道藏集注本作"其志独立"。又，"反"作"返"。

〔一八〕"职"，主。

〔一九〕"三"，指"道"、"天"、"地"。下节经文说"域中有四大"，注：
"四大，道、天、地、王也。""亦复为大，与三匹"，陶鸿庆说："当
作'亦复与三大为匹'。"

〔二〇〕王弼老子指略说："名号生乎形状，称谓出乎涉求。名不虚生，
称谓不虚出。故名号则大失其旨，称谓则未尽其极。""然则，
道、玄、深、大、微、远之言各有其义，未尽其极者也。……然则
言之者失其常，名之者离其真……不以言为主，则不违其常，
不以名为常，则不离其真。"此均为说明有称有名不可得道之
极、真。道之极、真不可名称。故下文说，道虽为称中之大者，
犹不如"无称"之大。

68　〔二一〕"有所由"三字，宇惠本不重。

〔二二〕"道是"，据陶鸿庆说校改。按，上文说"然后谓之为道"，此处
按语气当作"然则道是称中之大也"方顺，作"是道"者误倒。

〔二三〕"无称"，道藏集注本误作"无自"。

〔二四〕"故"字，据陶鸿庆说校补。按，据文例，重言经文当有作"故
曰"。又，宇惠说："而名"下恐有脱误。东条弘说："恐脱'故

亦字之'四字。"<u>波多野太郎</u>说:"'曰域也'三字宜删,疑涉下注而衍。"

〔二五〕<u>波多野太郎</u>说:"'有四大者也'之'者'字疑衍,或宜移置'故'字上。"<u>王弼老子指略</u>说:"故名号则大失其旨,称谓则未尽其极。是以谓玄则'玄之又玄',称道则'域中有四大'也。"

〔二六〕"法自然也"四字,据<u>陶鸿庆</u>说校补。<u>陶</u>说:当"与上文'法地也'、'法天也'、'法道也'一律。因下有复句而误夺之"。又,<u>道藏集注</u>本于"乃得其性"上衍一"方"字。

〔二七〕<u>古逸丛书</u>本"违"下无"也"字。

〔二八〕<u>文选游天台山赋李善</u>注引此句作"自然,无义之言、穷极之辞也"。又,<u>洪颐煊读书丛录</u>说:"辨正论卷七引老子'人法地,地法天'四句,<u>王弼</u>云:'言天地之道,并不相违,故称法也。自然无称穷极之辞,道是智慧灵巧之号。'与今本<u>王弼</u>注不同。今本<u>王弼</u>注<u>明</u>代始出,或后人掇拾为之。"

〔二九〕"用智",<u>波多野太郎</u>说:"'用'字为'有'字之讹。此注有无相对,下注'有仪不及无仪'亦可证。'有'、'用'声同而误也。"

〔三〇〕"形魄",指明白显见之器物。<u>周易系辞</u>上"形乃谓之器",<u>孔颖达</u>疏:"体质成器,是谓器物,故曰形乃谓之器。言其著也。""精象",指物体尚只有微小的端兆。<u>周易系辞</u>上"见乃谓之象",<u>韩康伯</u>注:"兆见曰象。"<u>孔颖达</u>疏:"见乃谓之象者,前往来不穷,据其气也。气渐积聚,露见萌兆,乃谓之象。言物体尚微也。""仪",容。"有仪",指各种有具体形状之物体。<u>周易系辞</u>上"易有太极,是生两仪",<u>孔颖达</u>疏:"不言天地而言两仪者,指其物体。下与四象相对,故曰两仪,谓两体容仪也。"或说"形魄"指地,"精象"指天,"无形"指道。"有仪"指天地万物,"无仪"指自然。又,"有仪不及无仪",<u>道藏集注</u>本作"有仪不如无仪"。

〔三一〕"转相法也",道藏集注本作"道相法也"。

〔三二〕"法"字,据道藏集注本校改,与下文一律。

〔三三〕此句注文据陶鸿庆说校改。陶说:"上节注云:'天地之性人
为贵,而王是人之主也。'此承'人故象焉'而言,故曰'王所以
为主'。四十二章王弼注云:'故万物之生,吾知其主,虽有万
形,冲气一焉。百姓有心,异国殊风,而王侯得一者主焉,以一
为主,一何可舍'云云。故曰'其主之者一也'。"道藏集注本
无"一之者"之"之"字。波多野太郎说:末十字"宜作'所以其
法之者一也'八字。礼中庸:'凡为天下国家有九经,所以行
之者一也'"。又,波多野太郎引一说:"'所以为主'四字疑
衍,而'主也'之'主'想是'王'之谬。"又引一说:"改两'主'
字为'王'。"

二十六章

重为轻根，静为躁君，

凡物，轻不能载重，小不能镇大。不行者使行，不动者制动。是以重必为轻根，静必为躁君也〔一〕。

是以圣人终日行不离辎重。

以重为本，故不离〔二〕。

虽有荣观，燕处超然，

不以经心也〔三〕。

奈何万乘之主，而以身轻天下？轻则失本，躁则失君。

轻不镇重也〔四〕。失本，为丧身也。失君，为失君位也〔五〕。

【校释】

〔一〕"躁"，借为"趮"，说文："趮，疾行也。"躁动对静而言。周易恒卦上六爻辞王弼注："夫静为躁君，安为动主。故安者，上之所处也；静者，可久之道也。"义与此同。

〔二〕"故不离"，道藏集注本无"故"字。

〔三〕道藏集注本于"心"字下多一"之"字。

〔四〕"镇"字，道藏集注本作"真"。

〔五〕"为"字，道藏集注本、永乐大典本均作"谓"。"谓"、"为"古通，此处为"谓"义。

71

二十七章

善行无辙迹，

顺自然而行，不造不（始）〔施〕〔一〕，故物得至，而无辙迹也。

善言无瑕谪，

顺物之性，不别不析〔二〕，故无瑕谪可得其门也〔三〕。

善数不用筹策，

因物之数，不假形也〔四〕。

善闭无关楗而不可开，善结无绳约而不可解。

因物自然，不设不施，故不用关楗、绳约〔五〕，而不可开解也。此五者〔六〕，皆言不造不施，因之性，不以形制物也〔七〕。

是以圣人常善救人，故无弃人；

圣人不立形名以检于物〔八〕，不造进向以殊弃不肖〔九〕。辅万物之自然而不为始〔一○〕，故曰“无弃人”也。不尚贤能，则民不争；不贵难得之货，则民不为盗；不见可欲，则民心不乱。常使民心无欲无惑，则无弃人矣〔一一〕。

常善救物，故无弃物，是谓袭明。故善人者，不善人之师；

举善以（师）〔齐〕〔一二〕不善，故谓之师矣。

不善人者，善人之资。

资，取也。善人以善齐不善，〔不〕〔一三〕以善弃不善也〔一四〕，故不善人，

72

善人之所取也。

不贵其师，不爱其资，虽智大迷，

虽有其智，自任其智。不因物，于其道必失〔一五〕，故曰"虽智大迷"。

是谓要妙。

【校释】

〔一〕"施"字，据陶鸿庆说校改。下节注"此五者，皆言不造不施，因
物之性……"可证。又，石田羊一郎老子王弼注刊误本改"始"
为"治"。

〔二〕"不析"，道藏集注本误作"不折"。

〔三〕"瑕"，释文："疵过。""谪"，谴责。道藏集注本"瑕"字作"取"。
又，波多野太郎引一说："可得其门也"之"门"，疑当作"所"。又
引一说："'可得其门也'五字，当移至'善闭'之注末。"石田羊一
郎老子王弼注刊误本改"可得其门也"为"可得而问也"。

〔四〕"假"，通"借"。"不假形"，不借助于形器（指"筹策"——古代
一种计数之竹签）。又，"因物之数"，道藏集注本作"因是乎
数"。

〔五〕"约"，说文："缠束也。""无绳约"，意为不用绳缚结。

〔六〕"此五者"，即指"善行无辙迹"、"善言无瑕谪"、"善数不用筹
策"、"善闭无关楗"、"善结无绳约"。

〔七〕王弼思想以虚无为本，以形器为末。周易乾卦象辞王弼注："夫
形也者，物之累也。"以形为物之累，故此处说："不以形制物。"

〔八〕"形"，通"刑"。王弼老子指略说："夫形（刑）以检物，巧伪必生；
名以定物，理恕必失。"

〔九〕按，"向"字疑为"尚"字之误。"进尚"，即"进其智"、"尚贤能"
之意。下文说"不尚贤能，则民不争"，正承此言。又，三十八章
王弼注"载之以大道，镇之以无名，则物无所尚"，亦可为证。此
句意为，不设智慧、贤能以为分别，而弃其不肖之人。

〔一〇〕按,"而不为始"之"始"字,疑亦当作"施"。此即上节注所说:
"顺自然而行,不造不施"、"此五者,皆言不造不施"之义。

〔一一〕"无弃人矣"之"矣"字,道藏集注本作"心"。

〔一二〕"齐"字,据陶鸿庆说校改。按,如作"师"字,则与下文"故谓
之师矣"重复不辞。又,下节注"善人以善齐不善",即承此而
言,故此处文当作:"举善以齐不善。"

〔一三〕"不"字,据易顺鼎、陶鸿庆说校补。"不以善弃不善",即所谓
"无弃人"之意,如无"不"字,则义不可通。

〔一四〕古逸丛书本"善"字下无"也"字。

〔一五〕陶鸿庆说:"'物于'二字误倒,'不因于物'四字为句。"按,不
必如陶说改亦可通。上文言"虽有其智,自任其智",即所谓
"因物自然"之意。"不因物",则其道必失。"于"字作"则"
解,属下读。

老
子
道
德
经
注

二十八章

知其雄,守其雌,为天下谿。为天下谿,常德不离,复归于婴儿。

雄,先之属。雌,后之属也。知为天下之先(也)〔者〕必后也〔一〕。是以圣人后其身而身先也。谿不求物,而物自归之〔二〕。婴儿不用智,而合自然之智。

知其白,守其黑,为天下式。

式,模则也。

为天下式,常德不忒,

忒,差也。

复归于无极。

不可穷也。

知其荣,守其辱,为天下谷。为天下谷,常德乃足,复归于朴。

此三者〔三〕,言常反终〔四〕,后乃德全其所处也。下章云,反者道之动也〔五〕。功不可取,常处其母也〔六〕。

朴散则为器,圣人用之则为官长。

朴,真也。真散则百行出,殊类生,若器也〔七〕。圣人因其分散,故为之立官长。以善为师,不善为资〔八〕,移风易俗,复使归于一也〔九〕。

故大制不割。

大制者,以天下之心为心,故无割也〔一〇〕。

【校释】

〔一〕"者"字,据道藏集注本校改。陶鸿庆说:"'知为天下'以下十字,文有脱误。'必'盖'心'字之误。意盖谓,知为天下之先,心居天下之后。"按,据道藏集注本改上"也"字为"者"字,则文义自通,且与下文相应,不必如陶说改"必"为"心"而解。七章经文说:"天长地久。天地所以能长且久者,以其不自生,故能长生。是以圣人后其身而身先,外其身而身存。……"王弼此处注文正据七章之意。

〔二〕"谿",与"谷"同义。尔雅释水疏李巡曰:"水出于山,入于川曰谿。"宋均曰:"有水曰谿,无水曰谷。""谿",地势低注,水自然趋归之,所以说:"谿不求物,而物自归之。"

〔三〕"此三者",即指"知其雄,守其雌"、"知其白,守其黑"、"知其荣,守其辱"。

〔四〕"反终",指"复归于婴儿"、"复归于无极"、"复归于朴"而言。石田羊一郎老子王弼注刊误本改"终"字为"然"字,并属下读。

〔五〕"下章",指四十章:"反者,道之动;弱者,道之用。天下万物生于有,有生于无。"又,道藏集注本无"云"字。

〔六〕此句意为,不可有为、身先,不可求仁、义、礼、敬之功,而要常守于无为之母。这样才能全、足,而复归于"婴儿"、"无极"、"朴"。三十八章王弼注:"故仁德之厚,非用仁之所能也;行义之正,非用义之所成也;礼敬之清,非用礼之所济也。载之以道,统之以母,故显之而无所尚,彰之而无所竞。……故母不可远,本不可失。"

〔七〕"百行",泛指众多的道德品行。"殊类",泛指各种事物。"器",

周易系辞上"形乃谓之器",韩康伯注:"成形曰器。"（按,文选三国名臣序赞李善注引此注作"王辅嗣曰"。）

〔八〕文见二十七章经文:"故善人者,不善人之师;不善人者,善人之资。"

〔九〕"复使归于一",道藏集注本无"使"字。

〔一〇〕"大",即二十五章所说"强为之名曰大"之"大",指道、朴。"制",说文:"裁也。""大制",意为以道制裁万物。道制裁万物是顺万物自然之性,所以说"以天下之心为心",是"裁"而"无割"。

二十九章

将欲取天下而为之〔一〕,吾见其不得已。天下神器,

神,无形无方也〔二〕。器,合成也。无形以合,故谓之神器也。

不可为也。为者败之,执者失之。

万物以自然为性,故可因而不可为也,可通而不可执也〔三〕。物有常性,而造为之,故必败也。物有往来,而执之,故必失矣。

故物或行或随,或歔或吹,或强或羸,或挫或隳。是以圣人去甚,去奢,去泰。

凡此诸或,言物事逆顺反覆,不施为执割也。圣人达自然之(至)〔性〕〔四〕,畅万物之情,故因而不为,顺而不施。除其所以迷,去其所以惑〔五〕,故心不乱而物性自得之也。

【校释】

〔一〕道藏集注本于经文此句下有王弼注"为造为也"四字。

〔二〕"方",类。

〔三〕"通",行,即二十七章王弼注"顺自然而行"之意。"执",拘、塞,此处与"通"相反为"不通"之意。所以下文说:"物有往来,而持之,故必失矣。"

〔四〕"性"字,据陶鸿庆说校改。按,"性"、"情"对文,下文作"畅万物

之情",此处当作"性"字。又,以上各节注均谓"万物以自然为性"亦可为证。作"至"者形近而误。

〔五〕"除迷"、"去惑",指除去美进、荣利之心。二十章王弼注:"众人迷于美进,惑于荣利。"

三十章

以道佐人主者,不以兵强天下,

以道佐人主,尚不可以兵强于天下,况人主躬于道者乎〔一〕?

其事好还。

为(始)〔治〕〔二〕者务欲立功生事,而有道者务欲还反无为,故云"其事好还"也。

师之所处,荆棘生焉。大军之后,必有凶年。

言师〔三〕凶害之物也。无有所济〔四〕,必有所伤,贼害人民,残荒田亩,故曰"荆棘生焉"〔五〕。

善有果而已,不敢以取强。

果,犹济也。言善用师者,趣〔六〕以济难而已矣,不以兵力取强于天下也〔七〕。

80

果而勿矜,果而勿伐,果而勿骄,

吾不以师道为尚,不得已而用,何矜骄之有也〔八〕?

果而不得已,果而勿强。

言用兵虽趣功(果)济难,然时故不得已(当复)〔后〕用者,但当以除暴乱,不遂用果以为强也〔九〕。

物壮则老,是谓不道,不道早已。

壮,武力暴兴〔一○〕,喻以兵强于天下者也。飘风不终朝,骤雨不终日〔一一〕,故暴兴必不道,早已也〔一二〕。

【校释】

〔一〕"躬于道者",指身体力行于道者。

〔二〕"治"字,据道藏集注本校改。按,"始"字于此无义。易顺鼎说:当为"治"字之误,释文亦作"治"。"为治"与"有道"相对。又,陶鸿庆说:"始"为"强"字之误,"强"承上"强兵"而言。义亦可通。

〔三〕"师",军旅。此处指战争。

〔四〕"济",成功。

〔五〕"焉"字,道藏本及道藏集注本均作"也"。又,波多野太郎引一说:"'生'下'也'上恐脱'必有凶年'四字。"

〔六〕"趣",通"趋",往也。波多野太郎引一说:"趣以"之"以"疑为"功"字之误。

〔七〕"也"字,道藏本及道藏集注本均作"矣"。

〔八〕陶鸿庆说:"'不'为'本'字之误,'师'字当在'用'字下。其文云:'吾本以道为尚,不得已而用师,何矜骄之有也?'"按,陶说虽于文义较胜,然臆改太多。此注文义本自可通,不必如陶说改。

〔九〕此节注文据陶鸿庆说校改。陶说:"'果'字涉经文而衍。'当复用','当'字涉下文而衍,'复'为'后'字之误。其文云:'言用兵虽趣功济难,然时故不得已后用者。'"又说:"'时'与'是'、'故'与'固'皆通用。"按,"果"字、"当"字衍,"复"为"后"之形误,陶说是。又,疑"趣功"之"功"字为"以"字之误。上节注文"言善用师者,趣以济难"可证。王弼前节注"言师凶害之物也。无有所济……"明言用师无功,故用师只是不得已而"济难"者也,非为"趣功"。所以当以作"趣以济难"方合王注之义。

〔一〇〕道藏本及道藏集注本于"暴兴"下均有一"也"字。

〔一一〕文见二十三章:"希言自然。故飘风不终朝,骤雨不终日。"

〔一二〕陶鸿庆说:"故暴兴必不道早已也"句中"'必'字当在'早已'上",则文作"故暴兴不道,必早已也"。按,此节注文释经文:"物壮则老,是谓不道,不道早已。""暴兴"即指"物壮",所以说"必不道,早已也"。文义自可通,不必如陶说改。又,道藏集注本误以此节注文为王雱注。

三十一章

　　夫佳兵者，不祥之器。物或恶之，故有道者不处。君子居则贵左，用兵则贵右。兵者，不祥之器，非君子之器。不得已而用之，恬淡为上，胜而不美。而美之者，是乐杀人。夫乐杀人者，则不可以得志于天下矣。吉事尚左，凶事尚右。偏将军居左，上将军居右，言以丧礼处之。杀人之众，以哀悲泣之。战胜，以丧礼处之〔一〕。

【校释】

〔一〕道藏集注本于本章末引王弼注说："疑此非老子之作也。"宋晁说之题王弼注道德经也说："弼知'佳兵者不祥之器'至于'战胜以丧礼处之'非老子之言。"又，据马叙伦老子校诂引李慈铭、陶绍学说，均以为此章文字有以王弼注文为经文者，并作详细订正。按，今据长沙马王堆三号汉墓出土帛书老子甲乙本考之，均有此章文字，并无王弼注文混入。

三十二章

道常无名,朴虽小,天下莫能臣也。侯王若能守之,万物将自宾。

道,无形不系,常不可名〔一〕。以无名为常,故曰"道常无名"也。朴之为物,以无为心也,亦无名〔二〕。故将得道,莫若守朴。夫智者,可以能臣也;勇者,可以武使也〔三〕;巧者,可以事役也;力者,可以重任也〔四〕。朴之为物,愦然〔五〕不偏,近于无有,故曰"莫能臣"也。抱朴无为〔六〕,不以物累其真,不以欲害其神,则物自宾而道自得也〔七〕。

天地相合以降甘露,民莫之令而自均。

言天地相合,则甘露不求而自降。我守其真性无为,则民不令而自均也。

始制有名,名亦既有,夫亦将知止。知止可以不殆。

始制,谓朴散始为官长之时也〔八〕。始制官长,不可不立名分以定尊卑,故始制有名也。过此以往,将争锥刀之末〔九〕,故曰"名亦既有,夫亦将知止"也。遂任名以号物,则失治之母也〔一〇〕,故"知止所以不殆"也〔一一〕。

譬道之在天下,犹川谷之于江海。

川谷之(求)〔与〕江(与)海〔一二〕,非江海召之,不召不求而自归者(世)〔也〕〔一三〕。行道于天下者,不令而自均,不求而自得,故曰"犹川谷之与江海"也〔一四〕。

【校释】

〔一〕道藏取善集本引此注无"不系常"三字，而作"道，无形不可名"。

〔二〕此句注文清四库馆臣说："一本或作：'朴之为物无心，故无名。'焦竑老子翼引作"物无心也"。

〔三〕"武使"，道藏集注本作"武君"。

〔四〕以上四句意为，有所偏者，如有智、勇、巧、力者，均为有所为，所以皆可以设法使之臣服、役使，唯有朴之为物，不偏于一事而近于无有，所以"莫能臣也"。

〔五〕"愤"，为烦恼之意，于此义不可通。易顺鼎引释文"愤"作"隤"，并说"愤"为"隤"之误。"隤"，柔貌。按，周易系辞下"坤，隤然示人简矣"，韩康伯注："隤，柔貌也。"此意较"愤"为接近。又，疑"愤"或为"遗"之误。"遗"，若二十章"众人皆有馀，而我独若遗"之"遗"。"遗"，失也。王弼注说："众人无不有怀有志，盈溢胸心，故曰皆有馀也。我独廓然无为无欲，若遗失之也。"观此处注文亦说"愤然不偏，近于无有"，意为朴之于智、勇、巧、力均若遗失之，故不偏于一事，而近于无有。义与二十章"我独若遗"之"遗"义近。

〔六〕"抱朴无为"，道藏本作"抱朴为无"。

〔七〕"也"字，道藏集注本作"矣"。

〔八〕"始为官长之时"，即二十八章王弼注所谓"真散则百行出，殊类生……圣人因其分散，故为之立官长"之意。

〔九〕"锥刀之末"，意即所谓"利"也。

〔一〇〕"遂"，竟。此句意为，如果竟自用名字来称呼物，则物将离真、朴而陷于形器、名分，而失其无为之治之本了。

〔一一〕"故知止所以不殆也"，为复述经文，经文作"知止可以不殆"，"可"字误。道藏本、古逸丛书本及长沙马王堆三号汉墓出土帛书老子甲乙本经文"可"均作"所"可证。

〔一二〕此句注文据陶鸿庆说校改。陶说:"'求'字不当有,本作'川谷之与江海'。因'与'字误倒在下,后人妄增'求'字以足句耳。"按,据下文说"不召不求而自归者"之意,此处若有"求"字,则义不可通。又,古逸丛书本及道藏本此句注文均作"川谷之以求江与海",道藏集注本则作"川谷之不求江与海",似据下文"不召不求"之意补"不"字。焦竑老子翼引作"川谷求于江与海"。

〔一三〕"也"字,据陶鸿庆说校改。陶说:"'自归者'下当有'也'字,'世'即'也'字之误。隶书'世'、'也'二字极相似。"

〔一四〕宇惠说:"与"当作"于",此为重叠经文言之。按,宇惠说误。此为老子经文传误,而非注误。长沙马王堆三号汉墓出土帛书老子甲乙本经文均作"犹小浴(谷)之与江海也"。此节经文及注文是以川谷与江海之关系比喻万物与道之关系,故作"与"字比"于"字义为长。

三十三章

知人者智，自知者明。

知人者，智而已矣〔一〕，未若自知者，超智之上也。

胜人者有力，自胜者强。

胜人者，有力而已矣，未若自胜者，无物以损其力。用其智于人，未若用其智于己也。用其力于人，未若用其力于己也。明用于己，则物无避焉；力用于己，则物无改焉〔二〕。

知足者富，

知足〔者〕〔三〕自不失，故富也。

强行者有志，

勤能行之〔四〕，其志必获，故曰"强行者有志"矣。

不失其所者久，

以明自察，量力而行，不失其所，必获久长矣。

死而不亡者寿。

虽死而以为生之，道不亡乃得全其寿。身没而道犹存，况身存而道不卒乎〔五〕。

【校释】

〔一〕"智而已矣"，道藏集注本作"自智而已矣"。

87

〔二〕"则物无改焉"之"改"字,于此不可解,疑误。<u>波多野太郎</u>引一说:"'改'疑当作'攻'。"又一说:"'改'疑当作'败'。"按,作"攻"于义较长。

〔三〕"者"字,据<u>道藏集注本</u>校补。按,当有一"者"字,与上两节注"知人者"、"胜人者"文一律。

〔四〕"勤能",勤奋勉力,释经文"强"字。

〔五〕"卒",止。<u>道藏集注本</u>"卒"误作"存"。

老子道德经注

三十四章

大道氾兮，其可左右。

言道氾滥无所不适，可左右上下周旋而用，则无所不至也〔一〕。

万物恃之而生而不辞，功成不名有，衣养万物而不为主。常无欲，可名于小；

万物皆由〔二〕道而生，既生而不知其所由〔三〕。故天下常无欲之时，万物各得其所，若道无施〔四〕于物，故名于小矣。

万物归焉而不为主，可名为大。

万物皆归之以生，而力使不知其所由。此不为小，故复可名于大矣〔五〕。

以其终不自为大，故能成其大。

为大于其细，图难于其易〔六〕。

【校释】

〔一〕此注之意如同庄子所说"道""无所不在"之意。庄子知北游："东郭子问于庄子曰：'所谓道，恶乎在？'庄子曰：'无所不在。'东郭子曰：'期而后可。'庄子曰：'在蝼蚁。'曰：'何其下邪？'曰：'在稊稗。'曰：'何其愈下邪？'曰：'在瓦甓。'曰：'何其愈甚邪？'曰：'在屎溺。'东郭子不应。庄子曰：'……物物者，与物无际，而物有际者，所谓物际者也；不际之际，际之不际者也。'"波

89

多野太郎引一说："或曰：'用则'二字衍。"

〔二〕"由"字，文选刘孝标辨命论李善注引作"得"。

〔三〕"不知其所由"，古逸丛书本作"不知所由"，道藏本误作"不知其由所"。

〔四〕道藏集注本脱"无施于物"之"施"字。

〔五〕此句意为，道无为而无不为，冥冥中主宰一切，所以既可名为小，又可名为大。大者，"取乎弥纶（充满）而不可极"；小者（微），"取乎幽微而不可睹"（老子指略）。道藏集注本脱此节注文。又，波多野太郎引一说："'力'字可疑，似衍。"一说："'小'恐当作'主'。"一说："'力'恐'亦'之误。或云'小'疑'主'。"一说："'不'下恐脱'可'字，又改'于'作'为'。"

〔六〕语见六十三章："图难于其易，为大于其细。天下难事必作于易，天下大事必作于细，是以圣人终不为大，故能成其大。"

三十五章

执大象，天下往；

大象〔一〕，天象〔二〕之母也。〔不炎〕〔三〕不寒，不温不凉，故能包统万物，无所犯伤。主若执之，则天下往也。

往而不害，安平太。

无形无识，不偏不彰〔四〕，故万物得往而不害妨也。

乐与饵，过客止。道之出口，淡乎其无味，视之不足见，听之不足闻，用之不足既。

言道之深大。人闻道之言，乃更不如乐与饵〔五〕，应时感悦人心也。乐与饵则能令过客止，而道之出言淡然无味。视之不足见，则不足以悦其目；听之不足闻，则不足以娱其耳。若无所中然〔六〕，乃用之不可穷极也。

【校释】

〔一〕"大象"，无形之象，亦即道、朴、常。四十一章"大象无象"，王弼注："有形则有分，有分者，不温则凉，不炎则寒。故象而形者，非大象。"

〔二〕"天象"，指日月星辰以及阴阳四时等。又，波多野太郎引一说："'天象'疑当作'天下'。"又一说："'天象'当作'天地'。"

〔三〕"不炎"二字，据老子指略"五物之母，不炎不寒"等校补。陶鸿

91

庆说:"'不凉'上夺'不炎'二字。"按,陶说非。王弼注文均以
"炎"与"寒"相对,"温"与"凉"同言。如十六章王弼注"温凉之
象"等可证。

〔四〕十六章王弼注:"常之为物,不偏不彰,无皦昧之状,温凉之象。"
"大象"亦即"常",所以也以"无形无识,不偏不彰"形容它。又,
道藏本"偏"字误作"徧"。

〔五〕"乐",指音乐。"饵",玉篇:"饼也。"此处比喻美食。

〔六〕"中",射中之中,意为达到一定目的。"若无所中然",意为如同
得不到任何满足的样子。

三十六章

将欲歙之,必固张之;将欲弱之,必固强之;将欲废之,必固兴之;将欲夺之,必固与之,是谓微明。

将欲除强梁、去暴乱,当以此四者。因物之性,令其自戮,不假刑为大,以除将物也〔一〕,故曰"微明"也。足其张〔二〕,令之足,而又求其张,则众所歙也〔三〕。与其张之不足,而改其求张者〔四〕,愈益而已反危。

柔弱胜刚强。鱼不可脱于渊,国之利器不可以示人。

利器,利国之器也〔五〕。唯因物之性,不假刑以理物。器不可睹,而物各得其所〔六〕,则国之利器也。示人者,任刑也。刑以利国〔七〕,则失矣。鱼脱于渊,则必见失矣〔八〕。利国〔之〕〔九〕器而立刑以示人,亦必失也〔一〇〕。

【校释】

〔一〕道藏集注本无"不假刑为大,以除将物也"句。又,宇惠说:"将物"之"将"字误衍。波多野太郎说:"将"当作"戕","音形相近耳。公羊传曰'君亲无戕',则'戕'、'将'古字通用,审矣"。

〔二〕陶鸿庆说:"足其张"三字上疑当重经文"固张"二字。

〔三〕"众"字,道藏集注本误作"象"字。"歙",收敛。

〔四〕"与其张之不足,而改其求张者",疑有错乱。陶鸿庆说:"'而改'有误,未详所当作。"宇惠说:"与"字误衍。波多野太郎引一

说:"'与'当作'于',音之误也。'改'当作'攻'。"又一说:
"'与'读为'于','改'疑当作'歛'。"又一说:"'与'衍字,'改'
疑'攻'。"按,"而改"无误,疑"其求"二字误倒,其文当作:"与
其张之不足,而改求其张者。""与"作"以"(由)解。此句意为,
由于其张之不足,因而改求其张者,则不是因物之性了。所以下
文说:"愈益而己反危。"此正与上文"令之足,而又求其张,则众
所歛也"之意相对。

〔五〕"利国之器也",<u>道藏集注</u>本"也"字误作"以"字。

〔六〕"各得其所"之"所"字,<u>永乐大典</u>本作"性"字。

〔七〕<u>波多野太郎</u>引一说:"刑以利国"上疑脱一"任"字。是承上句。

〔八〕<u>波多野太郎</u>说:"'见失'之'见'疑衍。"又引一说:"'见失'恐为
'见制'。盖'制'字脱'刀'、'衣'为'韦',与'失'相混耳。"又一
说:"'见失'之'见'衍。"

〔九〕"之"字,据上文"利国之器"之意校补。

〔一〇〕"必失也"之"也"字,<u>道藏集注</u>本作"矣"。

老子道德经注

三十七章

道常无为

顺自然也。

而无不为,

万物无不由为以治以成之也〔一〕。

侯王若能守之,万物将自化。化而欲作,吾将镇之以无名之朴。

化而欲作,作欲成也。吾将镇之无名之朴〔二〕,不为主也。

无名之朴,夫亦将无欲。

无欲竟也。

不欲以静,天下将自定。

【校释】

〔一〕此节注文疑有错乱。<u>陶鸿庆</u>说:"<u>古逸丛书</u>本注文无'之'字。然此注之文实有错乱。原文当云:'无不为,万物由之以始以成也。'乃先叠文,而后释其义。'由之'蒙上文'无为'而言,万物之始成由于无为,故曰:'无为而无不为也。'句中'之'字非衍,但误倒耳。<u>古逸</u>本删'之'字,文虽较顺而实非其旨。一章及二

95

十一章注皆云'万物以始以成，而不知其所以然'，明'治'为'始'字之误。"波多野太郎说："'为'字涉经文而衍，'之'字应在'由'下。"据此，则此节注文当作"万物无不由之以始以成也"。按，陶说及波多野太郎说均可通。

〔二〕宇惠说："'无名'上当有一'以'字。"

下　篇

三十八章

上德不德,是以有德;下德不失德,是以无德。上德无为而无以为,下德为之而有以为。上仁为之而无以为,上义为之而有以为,上礼为之而莫之应,则攘臂而扔之。故失道而后德,失德而后仁,失仁而后义,失义而后礼。夫礼者,忠信之薄而乱之首。前识者,道之华而愚之始。是以大丈夫处其厚,不居其薄;处其实,不居其华。故去彼取此。

德者,得也。常得而无丧,利而无害〔一〕,故以德为名焉。何以得德? 由乎道也。何以尽德? 以无为用〔二〕。以无为用,则莫不载也〔三〕。故物,无焉,则无物不经;有焉,则不足以免其生〔四〕。是以天地虽广,以无为心;圣王虽大,以虚为主〔五〕。故曰以复而视,则天地之心见〔六〕;至日而思之,则先王之至睹也〔七〕。故灭其私而无其身,则四海莫不瞻,远近莫不至〔八〕;殊其己而有其心,则一体不能自全,肌骨不能相容〔九〕。是以上德之人,唯道是用,不德其德,无执无用,故能有德而无不为〔一〇〕。不求而得,不为而成,故虽有德而无德名也。下德求而得之,为而成之,则立善以治物,故德名有焉。求而得之,必有失焉;为而成之,必有败焉。善名生,则有不善应焉〔一一〕。故下德为之而有以为也〔一二〕。无以为者,无所(偏)〔偏〕为也〔一三〕。凡不能无为而为之者,皆下德也,仁义礼节是也。将明德之上下,辄举下德以对上德。至于无以为〔一四〕，极下德（下）〔一五〕之量，上仁是也。足〔一六〕及于无以为而犹为之焉。为之而无以为〔一七〕，故有为为之患矣〔一八〕。本在无为，母在无名。弃本舍母，而适其子〔一九〕，功虽大焉，必有不济；名虽美焉，伪亦必生〔二〇〕。不能不为而成，不兴而治〔二一〕，则乃为之，故有宏普博施仁爱之者。而爱之无所偏私，故上仁为之而无以为也〔二二〕。爱不能兼，则有抑抗正（真）〔直〕而义理之者〔二三〕。忿枉祐直，助彼攻此〔二四〕，物事而有以心为矣〔二五〕。故上义为之而有以为也。直不能笃〔二六〕，则有游饰修文礼敬之者〔二七〕。尚好修敬，校责往来〔二八〕，则不对之閒忿怒生焉〔二九〕。故上（德）〔礼〕〔三〇〕为之而莫之应，则攘臂而扔之〔三一〕。夫大之极也，其唯道乎〔三二〕！自此已往，岂足尊哉！故虽〔德〕盛业大，富（而）有万物〔三三〕，犹各得其德〔三四〕，〔而未能自周也。故天不能为载，地不能为覆，人不能为赡。万物〕〔三五〕虽贵，以无为用，不能捨无以为体也〔三六〕。（不能）捨无以为体，则失其为大矣〔三七〕，所谓失道而后德也〔三八〕。以无为用，〔则〕（德）〔得〕其母〔三九〕，故能己不劳焉而物无不理。下此已往，则失用之母。不能无为，而贵博施；不能博施，而贵正直；不能正直，而贵饰敬。所谓失德而后仁、失仁而后义、失义而后礼也。夫礼也，所始首于忠信不笃〔四〇〕，通简不阳〔四一〕，责备于表，机微争制〔四二〕。夫仁义发于内，为之犹伪，况务外饰而可久乎〔四三〕！故夫礼者，忠信之薄而乱之首也。前识者，前人而识也，即下德之伦也〔四四〕。竭其聪明以为前识，役其智力以营庶事〔四五〕，虽（德）〔得〕其情〔四六〕，奸巧弥密，虽丰其誉，愈丧笃实。劳而事昏，务而治藏〔四七〕，虽竭圣智，而民愈害〔四八〕。舍己任物，则无为而泰〔四九〕。守夫素朴，则不顺典制〔五〇〕。（听）〔耽〕〔五一〕彼所获，弃此所守，〔故前〕识〔者〕〔五二〕，道之华而愚之首。故苟得其为功之母〔五三〕，则万物作焉而不辞也〔五四〕，万事存焉而不劳也。用不以形，御不以名，故（名）〔五五〕仁义可显，礼敬可彰也。夫载之以大道〔五六〕，镇之以无名〔五七〕，则物无所尚，志无所营〔五八〕。各任其贞事〔五九〕，用其诚，则仁德厚焉，行义正焉，礼敬清焉。弃其所载，舍其所生，用其成形，役其聪明，仁则（诚）〔尚〕〔六〇〕焉，义（其）〔则〕〔六一〕竞焉，礼（其）〔则〕〔六二〕争焉。故仁德之厚，非用仁之所能也；行义之正，非用义之所成也；礼敬之清，非用礼之所济也。载之以道，统之以母，故显之而无所尚,彰之而无所竞。用夫无名,故名以笃焉;用夫无形,故形以成焉。守母以存其子,崇本以举其末,则形名俱有而邪不生,大美配天而华不作。故母不可远〔六三〕,本不可失。仁义,母之所生,非可以为母。形器,匠之所成,非可以为匠也。舍其母而用其子,弃其本而适其末,名则有所分〔六四〕,形则有所止〔六五〕。虽极其大,必有不周;虽盛其美,必有患忧〔六六〕。功在为之,岂足处也〔六七〕。

【校释】

〔一〕“丧”,失。“常得而无丧,利而无害”,意为经常能把“德”保持住而不丧失,则有利而无害。五十一章“万物莫不尊道而贵德”,王弼注:“道者,物之所由也;德者,物之所得也。由之乃得,故不得不尊;失之则害,故不得不贵。”

〔二〕此句意为,要得到“德”和尽“德”之用,都不能离开“道”、“无”。“德”为具体事物所有,只有不离开“道”,才能尽“德”之利。十一章王弼注说:“木、埴、壁所以成三者,而皆以无为用也。言无者,有之所以为利,皆赖无以为用也。”

〔三〕“载”,国语韦昭注:“成也。”“莫不载也”,意即万物莫不由之以成。波多野太郎说:“‘则莫不载也’之‘则’下应有‘物’字,今脱在下注‘无焉’之上。”

〔四〕“经”,由。二十五章王弼注:“道取于无物而不由也。”“无焉”,即形容道,所以说:“则无物不经。”“生”,通“身”。“不足以免其生”,即不能免去有身之累害,亦即下文所谓“一体不能自全,肌骨不能相容”之意。“有焉”,即形容具体器物,所以说:“则不足以免其生。”

〔五〕此句意为,天地虽广,圣王虽大,但都是涉于有形有为,离开了道就没有圣王、天地之广大。四章王弼注:“故人虽知万物治也(疑当作‘治万物也’),治而不以二仪之道,则不能赡也。地虽形魄,不法于天则不能全其宁;天虽精象,不法于道则不能保其

老子道德经注

精(疑当作'清')。"所以此处说天地、圣人必须"以无为心"、
"以虚为主"。

〔六〕语出周易复卦彖辞:"复,其见天地之心乎。"王弼注:"复者,反
本之谓也。天地以本为心者也。凡动息则静,静非对动者也;语
息则默,默非对语者也。然则天地虽大,富有万物,雷动风行,运
化万变,寂然至无是其本矣。故动息地中,乃天地之心见也。若
其以有为心,则异类未获具存矣。"王弼此处所谓"复者,反本之
谓也"之"本",即指道,亦即十六章所谓:"夫物芸芸,各复归其
根。归根曰静,是谓复命。"复卦卦象震(雷)下坤(地)上,雷动地
静,所以说:"雷动风行……寂然至无是其本矣。故动息地中,乃
天地之心见也。"此为对上文"天地虽广,以无为心"之补充。

〔七〕"至日",冬至日和夏至日。周易复卦象辞:"雷在地中,复。先
王以至日闭关,商旅不行,后不省方。"王弼注:"方,事也。冬至,
阴之复也;夏至,阳之复也。故为复,则至于寂然大静。先王则
天地而行者也,动复则静,行复则止,事复则无事。"此为对上文
"圣王虽大,以虚为主"之补充。又,"至睹",道藏集注本误作
"主睹"。波多野太郎说:"'至睹'之'至'疑为'志'之讹。'天
地之心'与'先王之志'相对,'见'、'睹'互文。'天地之心',即
上文'以无为心'也;'先王之志',即'以虚为主'也。言冬至与
夏至阴阳之复而寂然虚静也,乃见天地之原理。以是考之,先王
以复卦为天地之心见,则圣人以天地虚无为其志,自明也。"按,
波多野太郎说是,"至"当作"志",于文义为长。

〔八〕"瞻",仰望。"至",来归顺。七章:"圣人后其身而身先,外其身
而身存;非以其无私邪,故能成其私。"王弼注:"无私者,无为于
身也。身先身存,故曰能成其私也。"可作此注之参考。

〔九〕"殊其己",即所谓"有身"。"有其心",即所谓"有私"。道藏集
注本脱"有其心"之"其"字。

〔一〇〕"唯道是用,不德其德",即上文所谓"何以尽德? 以无为用"之意。"无执无用",意为不执着德之名,不用德之名。"故能有德而无不为"之"有德",即指"唯道是用"之"德",亦即下文所说"虽有德,而无德之名"之"德"。

〔一一〕"善名生,则有不善应焉",二章:"天下皆知美之为美,斯恶已;皆知善之为善,斯不善已。"王弼注:"美恶犹喜怒也,善不善犹是非也。喜怒同根,是非同门,故不可得而偏举也。"

〔一二〕"有以为"三字疑有误。陶鸿庆说:经文"'下德为之而有以为','以'字亦当作'不',与上句反正互明。他书虽无可印证,然可以注义推之。注云:'下德求而得之,为而成之,则立善以治物,故德名有焉。求而得之,必有失焉;为而成之,必有败焉。善名生,则有不善应焉。故下德为之而有以('以'亦当作'不')为也。'此正释经文'有不为'之义。注文云:'凡不能无为而为之者,皆下德也,仁义礼节是也。'然则经云'下德',即包上仁、上义、上礼言之。下文云'上仁为之而无以为,上义为之而有以为,上礼为之而莫之应,则攘臂而扔之',三句义各有当,若此句作'有以为',则与'上义'句无区别,而与'上仁'、'上礼'诸句不相融贯矣。注末又云:'名则有所分,形则有所止。虽极其大,必有不周;虽盛其美,必有患忧。功在为之,岂足处也。'此皆申言上德所以有德者,以其无不为;下德所以无德者,以其有不为也。疑王氏所见本正作'有不为'。今作'有以为'者,涉'上义'句而误,注又沿经文之误也。"波多野太郎说:"'有以为'之'有',当作'无'字。范应元此条经文作'下德为之而无以为',曰王弼云:'下德为之而无以为者,无所偏为也。'按,此条经文本作'无以为',后人以河上本改'无'作'有',与注不合,更改注'无'字作'有'。然'无以为者'提举经文,且据下注:'下德下之量,上仁是也;足

老子道德经注

及于无以为而犹为之焉,为之而无以为,故有为为之患矣。'其改挽之迹昭然,范氏所据亦可证。"按,此节注文及经文疑均有衍误或后人增改,故不可读。据长沙马王堆三号汉墓出土帛书老子甲乙本经文均无"下德为之而有(无)以为"句。观王弼注文上下之义,似以范应元引王注之文义为长。下注说"至于无以为,极下德(下)之量,上仁是也……"可证。

〔一三〕"偏"字,据古逸丛书本、道藏本及道藏集注本校改。按,作"徧"者非。下文说"爱之无所偏私,故上仁为之而无以为也",正明"无以为"为"无所偏私"之意,故当作"偏"字。"无所偏为",意即不偏私于某一方。

〔一四〕"至于无以为",按,疑"至于"下脱"为之而"三字。上文说:"不能无为而为之者,皆下德也。"下文说:"上仁为之而无以为。"经文也说:"上仁为之而无以为。"此处既为说明上仁是极下德之量者,似当作"至于为之而无以为"于义为长。

〔一五〕"下"字,据道藏集注本及陶鸿庆说校删。陶说:"'之量'上不当有'下'字。言至于上仁之无以为,已极下德之量也。"

〔一六〕"足"字,道藏集注本作"是"。

〔一七〕"为之而无以为",按,疑当作"无以为而犹为之",是重述上文而明"故有有为之患"。此涉下文"上仁为之而无以为也"而误。

〔一八〕"故有为为之患矣",语不可通,疑有误。按,据下文"本在无为……"之意,此处似当作"故有有为之患矣","有为"与"无为"相对。文本重"有"字,而传抄误重"为"字。又,或说据上文"不能无为而为之"、"足及于无以为而犹为之"、"为之而无以为"等,疑当作"故有为之之患矣",文原重"之"字,亦可通。

〔一九〕"本"、"母",指"无名"、"无为"。"子",指美名、大功。五十二章:"天下有始,以为天下母。既得其母,以知其子;既知其子,复守其母,没身不殆。"王弼注:"母,本也;子,末也。得本以知末,不舍本以逐末也。"又,陶鸿庆说:"'弃本舍母,而适其子'当作'弃本而适其末,舍母而用其子',见下文。"

〔二〇〕此句意为,有所为则必有所不足。十八章王弼注:"故智慧出则大伪生也","甚美之名生于大恶"。

〔二一〕"兴",举。"不兴而治",意为不举刑罚、不起仁义而使民自然而治。

〔二二〕此句意为,"上仁"虽已有"宏普博施仁爱",但尚属"无所偏私",所以说"上仁"为"极下德之量"。

〔二三〕"直"字,据道藏集注本校改。按,下文说"忿枉祐直"、"而贵正直"等,均承此而言,足证此处当作"直"。"抑",退。"抗",进。后汉书班固传论:"固之序事,不激诡,不抑抗。"李贤注:"抑,退也;抗,进也。"此句意为,爱有所偏,则就会产生专门讲求进退、正直等义理之人。波多野太郎说:"抑,遏也,言遏过也。……抗,举也,言举善也。"石田羊一郎老子王弼注刊误本改"抑抗正真"为"抑抗枉直"。又"抑"字道藏集注本误作"折"。

〔二四〕"攻此",道藏集注本作"功此"。

〔二五〕按,"有以心为矣"疑当作"有心以为矣"。此句意为,若如上述,则事事物物都将用心计智慧于作为了。又,石田羊一郎老子王弼注刊误本改此句作:"而物事有以心为矣。"

〔二六〕"直",正直。即上文"抑抗正直"、"忿枉祐直"之"直"。"笃",实。"直不能笃",意为不能笃守正直,亦即下文所谓"忠信不笃"之意。又,"笃"字,道藏集注本作"信"。

〔二七〕"游饰",浮华之外表。"修文",追求礼敬等外表形式。

〔二八〕"校",计较。"责",责备。"校责往来",意为互相计较责备。

〔二九〕"对",应酬。"闲",通"间"。"不对之闲",意为得不到相应的礼节往来,亦即下文所说"莫之应"。

〔三〇〕"礼"字,据古逸丛书本、道藏本、道藏集注本及陶鸿庆说校
改。按,下文说"失德而后仁,失仁而后义,失义而后礼也",
此处正承"上义"之后而言,当作"上礼"才是。

〔三一〕"攘臂",捋臂。"扔",拉引。此处形容气势汹汹,强迫人遵守
礼节。"扔"字,道藏集注本作"仍"。

〔三二〕二十五章王弼注:"道……是混成之中,可言之称最大也。"

〔三三〕"德"字,据古逸丛书本、道藏本及道藏集注本校补。"而"字,
据道藏集注本校删。按,此语出周易系辞上:"盛德大业,至矣
哉! 富有之谓大业,日新之谓盛德。"

〔三四〕"犹各得其德"之"得"字,道藏集注本作"有"。

〔三五〕此二十四字原脱,故文义不畅。今据道藏本及道藏集注本校
补。按,释文于"敬校"和"治藏"两条之间出"为赡"二字并注
音,可证陆德明所见本当有此二十四字。

〔三六〕"〔万物〕虽贵,以无为用",陶鸿庆说:当作"虽贵无以为用"。
按,陶未见夺文而据意改之,虽亦可通,然观本注前文说"何以
尽德? 以无为用"之意,则不必如陶说改。此句意为,万物虽
贵,然必须以无为用,才能尽其德,不能离开无而自以为用,亦
即不能"弃本舍母,而适其子"之意。

〔三七〕"不能"二字涉上文而衍,故删。按,"不能捨无以为体,则失
其为大矣",义不可通。观王弼注文之意,"万物虽贵,以无为
用",故当言"捨无以为体,则失其大矣",故此处不当有"不
能"二字甚明。或说:二"捨"字,当作"舍",意为居守。此说
于此句虽可通,而于上句则不可通。又,"则"字道藏集注本
作"也",属上读。

〔三八〕"失道",即指上"各得其德"、"捨无以为体"而言。

〔三九〕"则"字,据道藏集注本校补。"得"字,据文义校改。"得其

母",正与下文"失用之母"对文。又,<u>东条弘</u>说:"以无为用"
上当有"万物"二字。

〔四〇〕"笃",实。此句之意即如十八章所谓"六亲不和有孝慈,国家
昏乱有忠臣",说明礼乃起于朴实之忠信丧失之后。又,<u>波多
野太郎</u>引一说:"夫礼也"之"也"字疑作"之"字。

〔四一〕"通简不阳"意义不明,疑有误。"阳"字,<u>道藏集注</u>本作"畅"。
按,"阳"字疑当作"畅"。"通"即"畅"义,此"通"字疑当作
"易"字。此句疑当作"易简不畅"。<u>淮南子诠言</u>:"非易不可
以治大,非简不可以合众;大乐必易,大礼必简;易故能天,简
故能地。""易简"一词为<u>魏晋</u>间人常用以表达"无为"之思想,
如<u>嵇康声无哀乐论</u>说:"古之王者,承天理物,必崇易简之教,
御无为之治;君静于上,臣顺于下……。"即以"易简之教"与
"无为之治"相提并论。又,<u>阮籍乐论</u>说"言正乐通平易简,心
澄气清……夫雅乐周通则万物和,质静则听不淫,易简则节制
全神,静重则服人心……"等等。"易简"一词原出<u>周易系辞</u>,
如"乾以易知,坤以简能"、"易简而天下之理得矣"、"易简之
善配至德"等。<u>韩康伯</u>注:"天地之道不为而善始,不劳而善
成,故曰易简。""天下之理莫不由于易简而各得顺其分位
也。""易简不畅"意谓天地不为、不劳之至德不通畅。且作
"易简不畅"正与上文"忠信不笃"文句相顺、意义一致。而下
文所说"责备于表,机微争制"也正是由于"易简"之道"不畅"
而引起者。

〔四二〕"表",外表,即指礼节等游饰。"机",当作"几",细小。
"制",通"执"。"机微争制",意为极微小之事,也要争执。

〔四三〕"外饰",指礼节等仪式。相对于"发于内"之仁义而言,故说
"外饰"。

〔四四〕"前人而识",意为先于人而认识。"伦",类。

〔四五〕"营",谋求。"庶事",众事。

〔四六〕"得"字,据道藏集注本校改。"得其情",即得事物之实情。

〔四七〕"务",努力。"薉",同"秽",荒芜。

〔四八〕五十六章说:"故以智治国,国之贼也。"

〔四九〕"舍",通"捨"。"泰",安。此句意为,如能舍弃己之"聪明"、"智力"而任物自然之性,则无为而安泰。

〔五〇〕"顺",循。"典制",指刑法制度。宇惠说:"不顺典制"恐有误。东条弘以为"守夫素朴"之"夫"为"失"字之误。

下
篇
三
十
八
章

〔五一〕"耽"字,据释文校改。释文出"耽"字,并音"都南反"。"耽"为嗜、乐之意。"耽彼所获",意为沉溺于其"竭聪明"、"役智力"而获得之"情"。"弃此所守",即弃"素朴"。

〔五二〕"故前"二字及"者"字,均据东条弘说校补。东条弘说:"识"字前疑脱"故前"二字,则此句当为覆述经文。又,或说"识"字为"诚"字,义亦可通,然不及作"故前识者……"于义为长。

〔五三〕"苟",如果。"为功之母","母"即指"无为无用"。"无为无用"有生物、成物之功。王弼老子指略:"功不可取,美不可用,故必取其为功之母而已矣。"

〔五四〕语见二章:"是以圣人处无为之事,行不言之教,万物作焉而不辞……"

〔五五〕"名"字误衍,据古逸丛书本、道藏本及道藏集注本校删。

〔五六〕"载",承受。"载之以大道",意为用无为之大道来承载天地万物。淮南原道:"夫道者,覆天载地。"庄子天地:"夫道,覆载万物者也,洋洋乎大哉。"

107

〔五七〕"无名",即朴。三十七章:"化而欲作,吾将镇之以无名之朴。"

〔五八〕"尚",崇尚、求美之意。三章王弼注:"尚者,嘉之名也。"

〔五九〕"贞",正。即下章所说:"侯王得一以为天下贞。"宇惠、东条

弘、波多野太郎等都以为"贞"为"真"之误。又,波多野太郎
引一说以为"贞"为"责"之误。

〔六〇〕"尚"字,据上文"物无所尚"、下文"显之而无所尚"之文义校
改。宇惠说:"诚"当作"伪"字。又,道藏集注本此句作"仁则
失诚焉"。是知"诚"字于此义不可通,故增"失"字以解之。

〔六一〕"则"字,据古逸丛书本校改。

〔六二〕此"则"字据上两句之例校改。

〔六三〕"母不可远"之"远"字,释文:"一本作'弃'。"波多野太郎说:
作"弃"是。按,作"远"、作"弃"于此义均可通。

〔六四〕"分",份位。二十五章王弼注:"夫名以定形。"老子指略:"名
也者,定彼者也。"均说"名"为有一定之份位局限者。

〔六五〕"止",限止。"形则有所止",意为有形之物是有局限者。所
以下文说:"虽极其大,必有不周。"

〔六六〕"患忧",古逸丛书本作"忧患"。

〔六七〕"处",居守。"岂足处也",意为岂能以"名"、"形"为可居
守者。

三十九章

昔之得一者，

昔，始也。一，数之始而物之极也。各是一物之生，所以为主也〔一〕。物皆〔二〕各得此一以成，既成而舍〔一〕以居成〔三〕，居成则失其母，故皆裂、发、歇、竭、灭、蹶也〔四〕。

天得一以清，地得一以宁，神得一以灵，谷得一以盈，万物得一以生，侯王得一以为天下贞。其致之。

各以其一，致此清、宁、灵、盈、生、贞〔五〕。

天无以清将恐裂，

用一以致清耳，非用清以清也。守一则清不失，用清则恐裂也。故为功之母不可舍也〔六〕。是以皆无用其功，恐丧其本也。

地无以宁将恐发，神无以灵将恐歇，谷无以盈将恐竭，万物无以生将恐灭，侯王无以贵高将恐蹶。故贵以贱为本，高以下为基。是以侯王自谓孤寡不谷。此非以贱为本邪？非乎？故致数舆无舆。不欲琭琭如玉、珞珞如石。

清不能为清，盈不能为盈，皆有其母，以存其形。故清不足贵，盈不足多，贵在其母，而母无贵形。贵乃以贱为本，高乃以下为基。故致数舆乃无舆也〔七〕。玉石琭琭、珞珞〔八〕，体尽于形〔九〕，故不欲也〔一〇〕。

〔一〕“各是一物之生,所以为主也”,文义不通,疑有误。世说新语言语篇注引作:“各是一物,所以为主也。”按,观注文上下文义,疑“物之”二字误倒于上,文宜作:“各是一生,所以为物之主也。”意谓,物均是由一(即道)而生,所以一是万物之主。下文“物皆各得此一以成……”正申此义。又,王弼周易略例说:“众之所以得咸存者,主必致一也。”“自统而寻之,物虽众则知可以执一御也。”又,二十五章王弼注:“道法自然,天故资焉。天法于道,地故则焉。地法于天,人故象焉。王所以为主,其主之者一也。”并可为此句之诠释。波多野太郎说:“此句宜作‘一物之主,所以为生也’。‘各是’二字恐衍。”石田羊一郎说:“生”字衍。

〔二〕道藏集注本无此“皆”字。

〔三〕“一”字,据道藏集注本校补。“舍”通“捨”。“舍〔一〕以居成”,意为舍弃一(即道,即所谓生物之母)而守其已成之具体形器。亦即三十八章王弼注所谓“舍其母而用其子,弃其本而适其末”之意。

〔四〕“发”,通“废”。“蹶”,败也。道藏集注本无“灭”字。

〔五〕“贞”,正、主。周易略例:“夫动不能制动,制天下之动者,贞夫一也。”又,“贞”字,道藏集注本在“灵”字之下。

〔六〕“舍”,通“捨”。“为功之母不可舍”,即三十八章王弼注所谓“母不可远,本不可失”之意。

〔七〕“舆”,借为“誉”。长沙马王堆三号汉墓出土帛书老子甲本经文作“与”,乙本经文作“舆”,均为“誉”之借字。道藏集注本经文、注文四“舆”字均作“誉”,傅奕注本亦作“誉”,释文出“誉”字,注“毁誉也”,均可为证。马叙伦老子校诂说:“庄子知北游篇曰:‘至誉无誉。’……然此文当作‘致誉无誉’。‘致’有误作‘数’者,校者彼此旁注,后人传写误入正文耳。”按,据长沙马王堆三号汉墓出土帛书老子甲乙本经文均有"数"字,则可证经文、注文之"数"字不为衍文。"致数舆",意为屡得高贵之称誉。

〔八〕"珞珞",道藏集注本作"落落"。马叙伦老子校诂引毕沅说:"案,古无'琭'、'碌'、'珞'三字,'珞'应作'落'。"按,长沙马王堆三号汉墓出土帛书老子甲本经文"琭琭"二字残缺、"珞珞"二字残,乙本经文"琭琭"作"禄禄"、"珞珞"作"硌硌"。可见非古无此字也。慧琳一切经音义引老子经文作"硌硌",与乙本同。韵会:"硌硌,石坚不相容貌。"后汉书冯衍传引"不欲碌碌如玉、落落如石",李贤注:"玉貌碌碌为人所贵,石形落落为人所贱。"晏子春秋内篇问下:"坚哉石乎,落落视之则坚,无以为久,是以速亡。"据此,则是后人以"落落"代"珞珞"、"硌硌"。又,朱骏声说文通训定声需部附录:"琭,老子'不欲琭琭如玉'注:'喻少。'"豫部附录:"硌,西山经上'申之山多硌石'注:'磊硌大石貌。'楚辞:'悃上山岦兮硌硌。'"可供参考。

〔九〕"体尽于形",意为玉石坚硬之质全部表露于其外形上,而不能深藏,因而贵贱、毁誉一目了然。此也是舍母用子之结果,所以下文说"不欲"。

〔一〇〕马叙伦老子校诂以为本章与四十二章互有错误,王弼注因此也有错误。今将马叙伦之考证录于后:"伦案:右文旧为第三十九章,然此章与四十二章颇有错误。姚鼐曰:四十二章'道生一'至'冲气以为和'二十五字,应在此章'昔之得一者'上(陶绍学曰:文选天台山赋注引老子曰:'道生一。'王弼曰:'一,数之始而物之极也。'而今本弼注见上章'昔之得一者'句下,则姚说可信)。'故贵以贱为本','故'字衍。'贵以贱为本'至'非乎'二十九字,应在四十二章'人之所恶'之上。因'侯王'字,诵者误记于此。伦谓姚说是也。四十二章弼注曰:'万物万形,其归一也。何由致一?由于无也。由无乃一,一可谓无？已谓之一,岂得无言乎？有言有一,非二如何？有一有二,遂生乎三。从无之有,数尽乎斯,过此以往,非道之流。故万物之生,吾知其主,虽有万形,冲气一焉。百姓有心,异国殊风,而得一者,王侯主焉。以一为主,一何可舍？愈多愈远,损则近之,损之至尽,乃得其极。既谓之一,犹乃至三,况本不一,而道可近乎！损之而益,岂虚言也。'玩弼注意,似今本四十章之'天下万物生于有,有生于无'两句及四十二章'道生一'至'或益之而损',王本实为一章。寻陶举文选注引证'道生一'云云当在'昔之得一者'上固确。……则四十章之'天下万物生于有,有生于无'两句及四十二章之'道生一'至'冲气以为和'当移入此章。此章之'故贵以贱为本'至'落落如石'当移至四十二章。"按,据长沙马王堆三号汉墓出土帛书老子甲乙本考之,本章并无错误,而是今本四十章与四十一章章次颠倒,致使原本互相衔接之文义割裂而生疑问。

老子道德经注

四十章

反者,道之动;

高以下为基,贵以贱为本〔一〕,有以无为用〔二〕,此其反也。动皆知其所无,则物通矣〔三〕。故曰"反者,道之动"也。

弱者,道之用。

柔弱同通,不可穷极〔四〕。

天下万物生于有,有生于无。

天下之物,皆以有为生。有之所始,以无为本。将欲全有,必反于无也〔五〕。

【校释】

〔一〕语见三十九章:"故贵以贱为本,高以下为基。"

〔二〕语见十一章:"有之以为利,无之以为用。"

〔三〕"通",包通。此句意为,万物动作如能知道其根本是无,就可包通万物了。按,"知"字道藏集注本作"之"。"之",往也。"所",作处所解。"所无",即居处于无。二十八章王弼注:"言常反终,后乃德全其所处也。下章云反者道之动也。功不可取,常处其母也。"三十章王弼注:"为〔始〕〔治〕者务欲立功生事,而有道者务欲还反无为。"十六章王弼注:"常之为物,不偏不彰,无曒昧之状,温凉之象,故曰知常曰明也。唯此复,乃能包通万物,无所不容。"据此,此句意当为,如果万物动作而都能返还其根本,居处于无,就可包通万物了。此义似更长。

〔四〕三十六章:"柔弱胜刚强。"四十三章王弼注:"虚无柔弱,无所不通。无有不可穷,至柔不可折。"均与此同,为说明道以柔弱、虚无为用,所以能无所不包通而不可穷极。

〔五〕三十八章王弼注:"用夫无名,故名以笃焉;用夫无形,故形以成焉。守母以存其子,崇本以举其末,则形名俱有而邪不生,大美配天而华不作,故母不可远,本不可失。"按,据长沙马王堆三号汉墓出土帛书老子甲乙本之次序,本章当在四十一章之后。

四十一章

上士闻道,勤而行之;

有志也。

中士闻道,若存若亡;下士闻道,大笑之,不笑不足以为道。故建言有之:

建,犹立也〔一〕。

明道若昧,

光而不耀〔二〕。

进道若退,

后其身而身先,外其身而身存〔三〕。

夷道若纇。

纇,坳也〔四〕。大夷之道,因物之性,不执平以割物〔五〕。其平不见,乃更反若纇坳也。

115

上德若谷,

不德其德,无所怀也。

大白若辱,

知其白,守其黑〔六〕,大白然后乃得。

广德若不足,

广德不盈,廓然无形,不可满也。

建德若偷,

偷,匹也〔七〕。建德者,因物自然,不立不施,故若偷匹。

质真若渝。

质真者,不矜其真,故〔若〕渝〔八〕。

大方无隅,

方而不割,故无隅也〔九〕。

大器晚成,

大器,成天下不恃全别,故必晚成也〔一〇〕。

大音希声,

听之不闻名曰希。〔大音〕〔一一〕,不可得闻之音也。有声则有分,有分则不官而商矣〔一二〕。分则不能统众〔一三〕,故有声者非大音也。

大象无形。

有形则有分,有分者,不温则(炎)〔凉〕〔一四〕,不炎则寒。故象而形者,非大象〔一五〕。

道隐无名,夫唯道善贷且成。

凡此诸善,皆是道之所成也〔一六〕。在象则为大象,而大象无形;在音则为大音,而大音希声。物以之成,而不见其(成)形〔一七〕,故隐而无名也。贷之非唯供其乏而已〔一八〕,一贷之则足以永终其德,故曰"善贷"也。成之不如机匠之裁〔一九〕,无物而不济其形〔二〇〕,故曰善成。

老子道德经注

116

【校释】

〔一〕"犹"字,道藏集注本作"由"。

〔二〕五十八章"光而不燿"注:"以光鉴其所以迷,不以光照求其隐匿也。所谓明道若昧也。"

〔三〕语见七章:"是以圣人后其身而身先,外其身而身存。"

〔四〕"纇",说文:"丝节也。"此处喻为不平之意,与"夷"(平坦)相对。"坳",深洼,也为形容不平。

〔五〕"不执平以割物",意为不执着平去制割万物使其一样而违背万物之自然本性。"平"字,道藏集注本误作"乎"。

〔六〕二十八章:"知其白,守其黑,为天下式。"

〔七〕"偷,匹也",不明所义,恐有误。马叙伦老子校诂从俞樾说,以为老子经文"建"当读为"健","偷"借为"偷",惰也,与"健"相对。蒋锡昌说:"'建',立也。'偷'为'愉'之假。……说文:'愉,薄也。''建德若偷',言立德之人若薄而不立也。此句与上句词异谊同。王注失之。"波多野太郎引一说:"'偷'、'俦'音通,王注盖读为'俦'。"按,傅奕注老子经文作"建德若偷",注说"'偷',古本作'输'",并引广韵(雅):"输,愚也。"据长沙马王堆三号汉墓出土帛书老子甲本经文正作"建德如输",乙本经文此字残缺。观王弼注文"建德者,因物自然,不立不施"之意,疑"偷,匹也"为"输(或偷),愚也"之误。下文"故若偷匹",疑当作"故若输(或偷)愚"。

〔八〕"若"字,据陶鸿庆说校补。与上"若纇坳"、"若偷匹"同。"渝",说文:"变污也。"马叙伦说:"'渝',古书多用为变义,此'渝'字当作污解则通。"又说:"谓'渝'借为'谀',言质厚之德,不立厓异,反若谄谀也。"录之以为参考。

〔九〕"隅",角。五十八章王弼注:"以方导物,(舍)〔令〕去其邪,不以方割物,所谓大方无隅。"

〔一〇〕此节注文义不可通,疑有误。陶鸿庆说:"上'成'字衍文,当云:'大器,天下大器。'乃叠经文。'全'盖'分'之误。'不持分别'即'无所别析'也。"波多野太郎说:"'全'宜作'分','分'、'全'形似而误,陶说是也。然其他不改可也。'持'者,犹上注'执平以割物'、四章注'执一家之量者'、'执一国之量'之'执'字。'分别'者,犹言'别析',二十章注:'心无所别析'、'无所别析不可为名'、'分别别析也'。二十七章注：
'不别不析。'……注意以为，大器之所以为大，无分也，故能
晚成而成天下。下注'有声则有分'，'分则不能统众，故有声
者非大音也'；'有形则有分'，'故象而形者非大象也'。乃弼
以'大器'、'大音'、'大象'之大，为无分也。无分绝对也，盖
知'全'，'分'字之误。"按，据陶说则此节注文当作："大器，天
下大器不持分别，故必晚成也。"据波多野太郎说则此节注文
作："大器，成天下，不持分别，故必晚成也。"此二说虽均可通，
然均不惬意。愚谓经文"大器晚成"疑已误。本章言"大方无
隅"、"大音希声"、"大象无形"，二十八章言"大制无割"等。
一加"大"字则其义相反，"方"为有隅，"大方"则"无隅"；
"音"为有声，"大音"则"希声"；"象"为有形，"大象"则"无
形"；"制"为有割，"大制"则"无割"。唯此"大器"则言"晚
成"，非"器"之反义。长沙马王堆三号汉墓出土帛书老子经
文此句甲本残缺，乙本作"大器免成"。"免"或为"晚"之借
字，然据以上之分析，似非"晚"之借字，而当以"免"本字解为
是。二十九章经文"天下神器"，王弼注："神，无形无方也；
器，合成也。无形以合，故谓之神器也。""器"既为"合成"者，
则"大器"则当为"免成"者，亦即所谓"无形以合"而使之成
者。如此，则与"大方无隅"、"大音希声"、"大象无形"等文义
一致。据此，疑王弼此节注文中"天下"二字，或为"無形"二
字之误。"無"或作"无"（周易一书中"無"均作"无"），转而
误作"天"，"下"则或为"形"字残缺致误。"全"字疑当为
"合"字，形近而误。"成"字则当在"合"字下。"别"字、"必"
字或因原文窜误，校阅者增衍者。故此节注文疑当作："大器
无形，不持合成，故免成也。"

〔一一〕"听之不闻名曰希"，语见十四章。"大音"二字，据陶鸿庆说

校补。陶说:"'不可得而闻之音也'句上,当有'大音'二字。"
按,陶说是,据文义当有"大音"二字。

〔一二〕此句意为,音有声则必有高低、清浊之分别,不为宫音,即为
商音。

〔一三〕"众",指宫、商、角、徵、羽五音。周易略例明彖说:"夫众不能
治众,治众者,至寡者也。"十四章王弼注:"无状无象,无声无
响,故能无所不通,无所不往。"

〔一四〕"凉"字,据十六章王弼注"温凉之象"、五十五章王弼注"不温
不凉"、老子指略"不温不凉,不宫不商"等文义校改。陶鸿庆
说:下句"不炎则寒"当作"不凉则寒"。陶说非。又,文选颜
延年应诏谳曲水作诗李善注引此正作"有分者,不温则凉"。

〔一五〕"大象",即无形之象。三十五章王弼注:"大象,天象之母也。"

〔一六〕东条弘说:"'凡此诸善'之'善'当作'大'。""诸大",指"大方
无隅"、"大器晚成"、"大音希声"、"大象无形"等。按,"善"
字疑为"言"字之误。经文"夫唯道善贷且成",乃总括"故建
言有之"以下自"明道若昧"至"大象无形",非仅指"大方无
隅"等。"凡此诸言",正与经文"建言有之"相应。

〔一七〕"成"字,据道藏集注本校删。按,六章王弼注:"(备)〔物〕以之
成,而不见其形……"十四章王弼注:"欲言无邪? 而物由以
成。欲言有邪? 而不见其形。"均可证此处"不见其成形"之
"成"字为衍文。又,文选颜延年应诏谳曲水作诗李善注引此
无"其成"二字。

〔一八〕"贷",说文:"施也。""乏",缺乏。此句意为,道施予万物者,并
不是供其一时之缺乏,而是一旦施予,则足以使万物永保其德。

〔一九〕"机匠",指工匠。"机匠之裁",指工匠制造器物时之裁割。
"不如"二字,道藏本及道藏集注本均作"不加"。

〔二〇〕"济",成功。

四十二章

道生一，一生二，二生三，三生万物。万物负阴而抱阳，冲气以为和。人之所恶，唯孤寡不谷，而王公以为称。故物，或损之而益，或益之而损。

万物万形，其归一也。何由致一？由于无也。由无乃一〔一〕，一可谓无〔二〕？已谓之一，岂得无言乎？有言有一，非二如何？有一有二，遂生乎三〔三〕。从无之有，数尽乎斯，过此以往，非道之流。故万物之生，吾知其主，虽有万形〔四〕，冲气一焉。百姓有心，异国殊风，而（得一者）王侯〔得一者〕〔五〕主焉。以一为主，一何可舍〔六〕？愈多愈远〔七〕，损则近之。损之至尽，乃得其极〔八〕。既谓之一，犹乃至三，况本不一，而道可近乎？损之而益，〔益之而损〕〔九〕，岂虚言也。

人之所教，我亦教之。

120

我之〔教人〕，非强使（人）从之也〔一〇〕，而用夫自然。举其至理，顺之必吉，违之必凶。故人相教，违之〔必〕〔一一〕自取其凶也。亦如我之教人，勿违之也。

强梁者不得其死，吾将以为教父。

强梁则必不得其死。人相教为强梁，则必如我之教人不当为强梁也〔一二〕。举其强梁不得其死以教邪〔一三〕，若〔一四〕云顺吾教之必吉也。故得其违教之徒〔一五〕,适可以为教父也。

【校释】

〔一〕"由无乃一",道藏集注本作"因无乃一"。

〔二〕"一可谓无"句,陶鸿庆说:"'谓无'乃'无言'二字之误。'由无乃一,一可无言?已谓之一,岂得无言?'语气自为呼应。"

〔三〕"遂生乎三"之"遂",道藏集注本作"子"。庄子齐物论:"天地与我并生,而万物与我为一。既已为一矣,且得有言乎?既已谓之一矣,且得无言乎!一与言为二,二与一为三。自此以往,巧历不能得,而况其凡乎!故自无适有,以至于三,而况自有适有乎?"此为王弼注文所本。

〔四〕"虽有万形"之"万",道藏集注本作"主"。

〔五〕"得一者"三字,据陶鸿庆说校改。陶说:"'得一者'三字,当在'王侯'之下。三十九章经云'侯王得一以为天下贞'可证。"波多野太郎从陶说,然以为"得一者"之"者",宜作"以"字。

〔六〕"舍",通"捨"。道藏集注本误作"今"字。

〔七〕"愈多愈远",指愈远于"本"、"无"。二十二章王弼注:"自然之道,亦犹树也。转多转远其根,转少转得其本。"又,上"愈"字,道藏集注本误作"先"字。

〔八〕"极",即"一"、"无"。三十九章王弼注:"一,数之始而物之极也。"四十八章:"为学日益,为道日损。损之又损,以至于无为,无为而无不为。"

〔九〕"益之而损"四字,据陶鸿庆说校补。陶说:"此乃叠经文也。"按,陶说是。

〔一○〕此句据陶鸿庆说校改。陶说:"'我之'下夺'教'字,'人'字又误脱在下。当云:'我之教人,非强使从之也。'"按,陶说是,下文"亦如我之教人,勿违之也"可证。

〔一一〕"必"字,据道藏集注本校补。按,当有"必"字。上文说"顺之必吉,违之必凶"可为证。

〔一二〕"强梁",强暴蛮横。"则必如我之教人不当为强梁也"之"则"字,陶鸿庆说:"'则'当为'非'。作'则'者,涉上文而误也。此章经旨,言人与我之教人,趣舍不同而归宿则一。人相教为强梁,我之教人不当为强梁,此其异也。举强梁不得其死以为教,则强梁者适可以为教父,此其同也。即经所谓'人之所教,我亦教之'也。今文以只字之讹,使经注全文俱不明了,不可不正。"波多野太郎说:"'则'字如字,不必改而可。"又引一说:"'必'、'如'间疑脱'凶'字。"按,陶分析经注之义是,然改"则"字为"非"字则非。"则"字不必改而文义自通。此与上节注"故人相教,违之〔必〕自取其凶也;亦如我之教人,勿违之也"文义一致。

〔一三〕"邪",耶,语气辞。道藏集注本误作"即"。

〔一四〕"若",如。道藏集注本误作"吉"。

〔一五〕"违教之徒",即所谓"强梁者"。

四十三章

天下之至柔,驰骋天下之至坚,

气无所不入,水无所不(出于)经〔一〕。

无有入无间,吾是以知无为之有益。

虚无柔弱,无所不通。无有不可穷,至柔不可折〔二〕。以此推之,故知无为之有益也〔三〕。

不言之教,无为之益,天下希及之。

【校释】

〔一〕"出于"二字,据易顺鼎等说校删。经文"无有入无间",古本、傅奕本及淮南原道训引均作:"出于无有,入于无间。"因此,刘师培、陶绍学、易顺鼎等都以为王弼注文中"出于"二字为经文误窜入此。王弼注当作:"气无所不入,水无所不经。"按,此说是。道藏集注本无"于经"二字,亦为据文义而改者。

〔二〕按,"至柔不可折"句,在此意义不明,且与上文"虚无柔弱……"义重复。疑此句当在上节注文"气无所不入"之上,误窜于此。上节经文正说"天下之至柔,驰骋天下之至坚"、"至柔不可折",正释此经文,"气"与"水"则为进一步之比喻。

〔三〕按,此节注文,道藏中各本所引均有所不同,今录以参考。道藏集解董本引王辅嗣曰:"至柔不可折,无有不可穷。以此推之,故知无为之道而有益于物也。夫孰能过此哉!"道藏集注彭耜本与道藏藏室纂微本引作:"无有不可穷,至柔不可折。以此推之,故知无为之道而(纂微本缺此'而'字)有益于物也。"道藏取善集本引作:"柔弱虚无,无所不通。至柔不可折,无有不可穷。以此推之,故知无为之道有益也。"

四十四章

名与身孰亲？

尚名好高，其身必疏〔一〕。

身与货孰多？

贪货无厌，其身必少。

得与亡孰病？

得多〔二〕利而亡其身，何者为病也？

是故甚爱必大费，多藏必厚亡。

甚爱，不与物通；多藏，不与物散〔三〕。求之者多，攻之者众，为物所病，故大费、厚亡也〔四〕。

知足不辱，知止不殆，可以长久。

【校释】

〔一〕"疏"，远。

〔二〕波多野太郎引魏源、马其昶说："多"作"名"，并说"作'名'是也，'名'、'多'形似而误"。按，据上两节注文"尚名"、"贪货"之意，此处似以作"名"字于义为长。

〔三〕"甚爱，不与物通"，意为私爱名过多，则不能与万物沟通一气。

"多藏,不与物散",意为私藏利过多,则不能与万物分享所有。

〔四〕"大费",指过分追求名必定大费智虑。"厚亡",指过分追求利必定丧失也多。

四十五章

大成若缺,其用不弊:

随物而成,不为一象〔一〕,故若缺也〔二〕。

大盈若冲,其用不穷。

大盈(冲)〔充〕〔三〕足,随物而与,无所爱矜,故若冲也。

大直若屈,

随物而直,直不在一,故若屈也〔四〕。

大巧若拙,

大巧因自然以成器,不造为异端,故若拙也〔五〕。

大辩若讷。

大辩因物而言,己无所造,故若讷也〔六〕。

躁胜寒,静胜热,清静为天下正。

躁罢然后胜寒〔七〕,静无为以胜热。以此推之,则清静为天下正也。静则全物之真,躁则犯物之性,故惟清静,乃得如上诸大也。

【校释】

〔一〕"不为一象",意为不有意去造成某一物象。

〔二〕此节注文道藏集注本作"学行大成,常如玷缺,谦则受益,故其材用无困弊之时",与各本均异,疑以他人之注误冠"王弼曰"。

〔三〕"充"字,据道藏本及道藏集注本校改。"充"、"冲"音同,疑涉经文而误。"充足"乃释经文"大盈"。陶鸿庆说:"'冲',虚也,与'足'义相反。'冲足'二字,不得连文。疑当为'常足',乃释'大盈'之义。下章经云:'知足之足,常足。'"按,陶说亦可通。

〔四〕"直不在一"之"不"字,道藏集注本误作"下"字。"一"字,道藏取善集本引作"己"。五十八章王弼注:"以直导物,令去其僻,而不以直激(沸)〔拂〕于物也。所谓大直若屈也。"

〔五〕"异端",意为不因自然而另起造作。"拙",笨拙。

〔六〕"讷",说文:"言难也。"即言语迟钝。

〔七〕"躁"借为"燥",干也,又陆德明诗汝坟释文:"楚人名火曰燥。""罢",止。"躁罢然后胜寒"释经文"躁胜寒"。按,老子、王弼之思想,均以寒静比躁热为根本。如经文"清静为天下正"注:"静则全物之真,躁则犯物之性。"马叙伦老子校诂疑老子经文有误,以为据义推之当作"寒胜躁"。然因经文已作"躁胜寒",故王弼只能曲折为解,而说必待躁止以后才能胜寒。又,道藏集注本引此注作"躁然后能胜寒",此为不明王弼思想,而据经文"躁胜寒"之意而改者。

四十六章

天下有道，却走马以粪；

天下有道，知足知止〔一〕，无求于外，各修其内而已。故却走马以治田粪也〔二〕。

天下无道，戎马生于郊。

贪欲无厌，不修其内，各求于外，故戎马生于郊也〔三〕。

祸莫大于不知足，咎莫大于欲得，故知足之足，常足矣。

【校释】

〔一〕"知足"，如二十章王弼注所谓"无欲而足"、"自然已足"。"知止"，如三十二章王弼注所谓："名亦既有，夫亦将知止也。……知止所以不殆也。"

〔二〕"却"，返、还之意。按，"故却走马以治田粪也"句，疑当作"故却走马以粪田也"。文选七命篇李善注引本节注文作"天下有道，修于内而已。故却走马以粪田"，亦可为证。"粪田"，即治理田。"治"字疑为后人旁注"粪"字义误窜入者，又"粪"字误在"田"下。

〔三〕"戎马"，战马。"生于郊"，意为在战场上产驹，形容战事频繁不息。

四十七章

不出户，知天下；不阕牖，见天道。

事有宗而物有主〔一〕，途虽殊而（同）〔其〕归〔同〕也〔二〕，虑虽百而其致一也〔三〕。道有大常，理有大致〔四〕。执古之道，可以御今；虽处于今，可以知古始〔五〕。故不出户、阕牖〔六〕，而可知也。

其出弥远，其知弥少。

无在于一，而求之于众也〔七〕。道视之不可见，听之不可闻，搏之不可得〔八〕。如〔九〕其知之，不须出户；若其不知，出愈远愈迷也。

是以圣人不行而知，不见而名，

得物之致〔一〇〕，故虽不行，而虑可知也。识物之宗，故虽不见，而是非之理可得而名也。

不为而成。

明物之性，因之而已，故虽不为，而使之成矣〔一一〕。

【校释】

〔一〕"宗"、"主"，即指道、一、无等。十四章王弼注："无形无名者，万物之宗也。"四十二章王弼注："万物之生，吾知其主⋯⋯以一为主。"

〔二〕"而其归同也"，据道藏集注本校改。与下文"而其致一也"

一致。

〔三〕语出周易系辞下："天下同归而殊途，一致而百虑。"

〔四〕"大常"，永恒不变之道。"大致"，推而极之之理。老子指略说："五物之母，不炎不寒，不柔不刚；五教之母，不皦不昧，不恩不伤。虽古今不同，时移俗易，此不变也，所谓'自古及今，其名不去'者也。天不以此，则物不生；治不以此，则功不成。故古今通，终始同，执古可以御今，证今可以知古始，此所谓常。"

〔五〕语见十四章："执古之道，以御今之有，能知古始，是谓道纪。"

〔六〕"阒"，通"窥"，视也。"牖"，窗。

〔七〕此句为释经文所谓"其出弥远，其知弥少"之原因所在。

〔八〕十四章："视之不见名曰夷，听之不闻名曰希，搏之不得名曰微。"

〔九〕"如"字，道藏集注本作"去"字。

〔一〇〕"得物之致"，即上文所谓"理有大致"之"致"。

〔一一〕二十九章王弼注："万物以自然为性，故可因而不可为也。"

四十八章

为学日益，

务欲进其所能，益其所习。

为道日损。

务欲反虚无也。

损之又损，以至于无为，无为而无不为。

有为则有所失，故无为乃无所不为也〔一〕。

取天下常以无事，

动常因也〔二〕。

及其有事，

自己造也〔三〕。

不足以取天下。

132　失统本也〔四〕。

【校释】

〔一〕三十八章王弼注：“上德之人，唯道是用，不德其德，无执无用，故
　　　能有德而无不为。”“下德求而得之，为而成之……求而得之，必
　　　有失焉；为而成之，必有败焉。”

〔二〕“动”，指“取天下”。“因”，即“因物之性”、“因物之自然”、“因

而不为"。

〔三〕"造",即所谓"造作施为"、"有所作为"之意。

〔四〕"统"、"本",即所谓"无为"、"无事"。

四十九章

圣人无常心，以百姓心为心。

动常因也。

善者，吾善之；不善者，吾亦善之，

各因其用，则善不失也。

德善。

无弃人也〔一〕。

信者，吾信之；不信者，吾亦信之，德信。圣人在天下歙歙，为天下浑其心。

各用聪明〔二〕。

圣人皆孩之。

皆使和而无欲，如婴儿也〔三〕。夫"天地设位，圣人成能，人谋鬼谋，百姓与能"者〔四〕，能者与之，资者取之〔五〕；能大则大，资贵则贵〔六〕；物有其宗，事有其主〔七〕。如此，则可冕旒充目而不惧于欺，黈纩塞耳而无戚于慢〔八〕，又何为劳一身之聪明，以察百姓之情哉！夫以明察物〔九〕，物亦竞以其明(应)〔避〕〔一〇〕之；以不信(察)〔求〕〔一一〕物，物亦竞以其不信应之〔一二〕。夫天下之心不必同，其所应不敢异，则莫肯用其情矣〔一三〕。甚矣！害之大也，莫大于用其明矣〔一四〕。夫(在)〔任〕智则人与之讼，(在)〔任〕力则人与之争〔一五〕。智不

134

出于人而立乎讼地，则穷矣〔一六〕；力不出于人而立乎争地，则危矣。未有能使人无用其智力（乎）〔于〕〔一七〕己者也，如此则己以一敌人，而人以千万敌己也。若乃多其法网，烦其刑罚，塞其径路，攻其幽宅〔一八〕，则万物失其自然，百姓丧其手足〔一九〕，鸟乱于上，鱼乱于下。是以圣人之于天下歙歙焉〔二〇〕，心无所主也〔二一〕；为天下浑心焉〔二二〕，意无所适莫也〔二三〕。无所察焉，百姓何避？无所求焉，百姓何应？无避无应，则莫不用其情矣〔二四〕。人无为舍其所能，而为其所不能〔二五〕；舍其所长，而为其所短〔二六〕。如此，则言者言其所知，行者行其所能，百姓各皆注〔二七〕其耳目焉，吾皆孩之而已。

【校释】

〔一〕语见二十七章："是以圣人常善救人，故无弃人。"

〔二〕此注与经文义不相属。按，据古逸丛书本、道藏本及长沙马王堆三号汉墓出土帛书老子甲乙本等，于经文"为天下浑其心"下均有"百姓皆注（帛书老子甲本作'属'字）其耳目焉"一句。观王弼注文"各用聪明"，正为此而设。且经文当有此句，则下文"圣人皆孩之"才有着落。又据下节注文"百姓各皆注其耳目焉，吾皆孩之而已"，也证明今本经文脱"百姓皆注其耳目焉"一句，以致使此注无所属。

〔三〕十章王弼注："任自然之气，致至柔之和，能若婴儿之无所欲乎？则物全而性得矣。"

〔四〕语出周易系辞下："天地设位，圣人成能，人谋鬼谋，百姓与能。"韩康伯注："圣人乘天地之正，万物各成其能。""人谋，况议于众以定失得也。鬼谋，况寄卜筮以考吉凶也。不役思虑，而失得自明；不劳探讨，而吉凶自著。类万物之情，通幽深之故，故百姓与能，乐推而不厌。"又，道藏集注本无句末"者"字。

〔五〕"能"，即贤，三章王弼注："贤，犹能也。""资"，即货财。

〔六〕"能大则大，资贵则贵"，即三章所谓"不尚贤，使民不争；不贵难得之货，使民不为盗"之意。王弼注："唯能是任，尚也曷为？唯用是施,贵之何为?"

〔七〕"宗"、"主",即道、无、一等。见四十七章校释〔一〕。

〔八〕"冕旒",古代帝王帽上之装饰物,用丝绳穿玉,垂在帽前后。"充",塞、蔽。"冕旒充目而不惧于欺",意为虽然目光被"冕旒"遮住,但也不怕会被别人欺瞒。"黈",黄色。"纩",绵絮。"黈纩",即用黄色绵絮做成的垂在帽左右之装饰物。"戚",忧。"黈纩塞耳而无戚于慢",意为虽然耳被"黈纩"蔽塞,但也不担忧会被别人欺慢。通典卷五十七引世本:"黄帝作冕垂旒,目不邪视也;充纩,耳不听谗言也。"汉书东方朔传:"冕而前旒,所以蔽明;黈纩充耳,所以塞聪。"颜师古注:"黈,黄色也;纩,绵也。以黄绵为丸,用组悬之于冕,垂两耳旁,亦不外听。"又,道藏集注本"冕旒充目"之"充"作"垂","无戚于慢"之"戚"作"慽"。

〔九〕"以明察物",意为用智虑考察万物。

〔一〇〕"避"字,据陶鸿庆说校改。按,陶说是。下文"无所察焉,百姓何避"正承此言。此作"应"者,涉下文"不信应之"句而误。又,十七章注:"以智治国,下知避之。"十八章王弼注:"行术用明以察奸伪,趣睹形见,物知避之。"并可为证。

〔一一〕"求"字,据陶鸿庆说校改。按,陶说是。下文"无所求焉,百姓何应"正承此言。此作"察"者,因上文"以明察物"句而误。

〔一二〕"以其不信应之",道藏本及道藏集注本均无"其"字。

〔一三〕此句意为,天下人之心,本来是各不相同的,但由于圣人"以明察物"、"以不信求物",使得天下之人不敢以不同之意见应于圣人。如此,则天下人没有一个肯于用其真情实意了。

〔一四〕此即六十五章所谓"故以智治国,国之贼"之意。

〔一五〕两"任"字,据陶鸿庆引王念孙说校改。此语出淮南子诠言。王念孙校淮南子说:"'在'皆当为'任'字之误也。言当因时而动,不可任智任力也。上文曰:'失道而任智者必危。'又曰:

'独任其智失必多。故好智穷术也,好勇危术也。'皆其证。"

（见读书杂志九之十四）

〔一六〕"穷",困塞、束手无策之意。

〔一七〕"于"字,据道藏集注本校改。又,道藏集注本此句注文作:
"未有能使人无用智者,未有能使人无用其智力于己者。"按,
此语出淮南子诠言:"(在)〔任〕智则人与之讼,(在)〔任〕力则
人与之争。未有使人无智者,有使人不能用其智于己者也;未
有使人无力者,有使人不能施其力于己者也。"淮南子之意为,
任用智力则人必与之讼争。人不能使他人无智力,然可使他
人不能用其智力施诸己身。王弼引此作注,文义似稍有所不
同。其意谓,智力不出于人,而出于己,故穷危矣。即上文所
谓:"夫以明察物,物亦竞以其明避之。"如此,则不仅不能阻
止别人不任用智力,且不能阻止别人之智力不施加于己身。
所以王弼下文又说:"己以一敌人,而人以千万敌己也。"据
此,则此注当如道藏集注本作"未有能使人无用智〔力〕(据上
下文义当有'力'字)者,未有能使人无用其智力于己者也",
于义为长。

〔一八〕"径路",小路。"幽宅",意谓人之隐微之处。

〔一九〕"丧",失。"丧其手足",即手足不知所措之意。

〔二〇〕"歙歙",河上公本经文作"怵怵",成玄英疏:"怵怵,勤惧之
貌。"高亨说:"歙",借为"汲"、"级",急也。老子此言是说:
"圣人急急使天下人心浑浊,归于无识无知。"马叙伦说:
"歙",借为"合","谓圣人之治天下,无所分别"。按,观王弼
注"歙歙焉,心无所主也"之意,当以马说为长。

〔二一〕"心无所主也"之"主"字,疑当作"注",即与下文"百姓各皆注
其耳目焉"之"注"字义同。"注"义详见校释〔二七〕。

〔二二〕"浑",浑沌、浑浊。马叙伦说:"浑"借为"棞",木尚未破析也,

此处借喻为素朴完整之意。

〔二三〕"适莫"，语出论语里仁："君子之于天下也，无适（音敌）也，无莫也。"皇侃义疏："适，厚。""莫，薄。""意无所适莫"，意为心浑浑然而不分别厚薄。

〔二四〕"则莫不用其情矣"，意为人人顺其自然之性而用其真情实意。此与上文"莫肯用其情"相对。

〔二五〕"舍"，通"捨"，弃也。"为其所不能"之"不"字，道藏集注本作"否"。

〔二六〕"而为其所短"，古逸丛书本无"所"字。

〔二七〕"注"，河上公注："注，用也。"高亨说："说文：'注，灌也。'百姓用耳以听，用目以视，即是耳目有所灌注。""孩之"，即上文所谓"皆使和而无欲，如婴儿也"。

五十章

出生入死。

出生地，入死地。

生之徒十有三，死之徒十有三。人之生动之死地，亦十有三。夫何故？以其生生之厚。盖闻善摄生者，陆行不遇兕虎，入军不被甲兵，兕无所投其角，虎无所措其爪，兵无所容其刃。夫何故？以其无死地。

十有三，犹云十分有三分。取其生道，全生之极，十分有三耳；取死之道，全死之极，亦十分有三耳〔一〕。而民生生之厚〔二〕，更之无生之地焉〔三〕。善摄生者〔四〕，无以生为生〔五〕，故无死地也。器之害者，莫甚乎（戈兵）〔兵戈〕〔六〕；兽之害者，莫甚乎兕虎。而令兵戈无所容其锋刃，虎兕无所措其爪角，斯诚不以欲累其身者也，何死地之有乎！夫蚖蟺〔七〕以渊为浅，而凿〔八〕穴其中；鹰鹯〔九〕以山为卑，而增巢其上。矰缴〔一○〕不能及，网罟不能到，可谓处于无死地矣。然而卒以甘饵，乃入于无生之地，岂非〔一一〕生生之厚乎？故物，苟不以求离其本，不以欲渝其真〔一二〕，虽入军而不害，陆行而不（可犯）〔犯，可〕也〔一三〕。赤子之可则〔一四〕而贵，信矣。

【校释】

〔一〕"亦十分有三耳"，<u>道藏本</u>及<u>道藏集注本</u>均作："十分亦有三耳。"

139

〔二〕"生生之厚",意为对"生"特别看重。

〔三〕"更",改。此句意为,太看重"生",反而会变成其反面"无生之地"。

〔四〕"摄",说文:"引持也。"引申意为保养。

〔五〕"无以生为生",意为不要把"生"看得太重。道藏本作:"无以主为生。"陶鸿庆说:下"生"字衍,当作"无以生为"。并举七十五章"唯无以生为者,是贤于贵生"为证。

〔六〕"兵戈"二字,据古逸丛书本校改。原倒乙,下文"令兵戈无所容其锋刃"可证。

〔七〕"蚖",说文"荣蚖",蜥蜴之类。"蟺",蚯蚓。

〔八〕"凿",易顺鼎说:疑为"袭"字之误。易说:"释文于'蚖蟺'下、'鹰鹯'上,出'袭'字,疑'凿'字即'袭'字之误。'袭穴'与'增巢'相对,意尤切近。'袭',重也;'增',亦重也。'袭穴'即本易之'习坎'。蚖蟺之穴不得言凿矣。"按,此句语本大戴礼记曾子疾病篇:"鹰鹯以山为卑而曾(增)巢其上,鱼鳖鼋鼍以渊为浅而魇(掘)穴其中。""凿"即"掘"义。

〔九〕"鹯",尔雅释鸟:"鹞属。"

〔一〇〕"矰缴",带有绳子之箭。

〔一一〕"岂非"之"非"字,道藏集注本作"弗"。

〔一二〕"渝",污。"真",即朴、无、道。

〔一三〕"犯可"二字原倒乙,据易顺鼎说校改。易说:"'犯'字当在'可'字之上,言'虽入军而害,陆行而不犯,可也',若作'不可犯',于语气不合矣。"

〔一四〕"则",法则;"可则",可以效法。"赤子",婴儿。五十五章:"含德之厚,比于赤子。"王弼注:"赤子无求无欲……不犯于物,故无物以损其全也。"

五十一章

道生之，德畜之，物形之，势成之。

物生而后畜，畜而后形，形而后成。何由而生？道也。何得而畜？德也。何(由)〔因〕〔一〕而形？物也。何使而成？势也。唯因也，故能无物而不形；唯势也，故能无物而不成。凡物之所以生，功之所以成，皆有所由。有所由焉〔二〕，则莫不由乎道也。故推而极之，亦至道也〔三〕。随其所因〔四〕，故各有称焉〔五〕。

是以万物莫不尊道而贵德。

道者，物之所由也；德者，物之所得也。由之乃得，故(曰)〔六〕不得不(失)〔尊〕；(尊)〔失〕〔七〕之则害，〔故〕〔八〕不得不贵也。

道之尊，德之贵，夫莫之命而常自然。

(命并作爵)〔九〕。

故道生之，德畜之：长之、育之、亭之、毒之、养之、覆之。

〔亭谓品其形，毒〕谓成其(实)〔质〕，各得其庇荫，不伤其体矣〔一〇〕。

生而不有，为而不恃，

141

为而不有〔一一〕。

长而不宰，是谓玄德。

有德而不知其主也，出乎幽冥，(是以)〔故〕〔一二〕谓之玄德也〔一三〕。

【校释】

〔一〕"因"字，据陶鸿庆说校改。陶说："于道言'由'，于物不当言

'由'，本作'何因而形？物也'。下文云'唯因也，故能无物而不
形'，承此言。按，陶说是，"因"、"由"形近而误。

〔二〕道藏集注本无"有所由焉"四字。

〔三〕"亦至道也"之"至"字，道藏集注本作"志"。

〔四〕"随其所因"之"因"字，疑当作"由"。王弼老子指略说"称必有
所由"，义与此同。

〔五〕"故各有称焉"之"称"字，道藏集注本作"道"。

〔六〕"故曰"之"曰"字，据陶鸿庆说校删。按，此处并非复述经文，不
当有"曰"字。

〔七〕"尊"、"失"二字原倒乙，文义不可通，今据陶鸿庆说校正。

〔八〕"故"字，据陶鸿庆说校补，与上文"故不得不尊"一致。

〔九〕"命并作爵"四字，据道藏集注本校删。道藏集注本说："明皇、
王弼二本'命'并作'爵'。"此当为校者按语，意谓明皇、王弼两
种本子中经文"莫之命而常自然"之"命"字均作"爵"字。非王
弼注文甚明，不知何时窜为注文。纪昀及易顺鼎均说："此系校
语误作王弼注。"

〔一〇〕"亭谓品其形，毒谓成其质"句，据易顺鼎、宇惠说增补并校
改。易说："初学记卷九、文选辨命论注并引老子曰：'亭之毒
之，盖之覆之。'王弼曰：'亭谓品其形，毒谓成其质。'今注夺
去六字，又'质'误为'实'，遂至不词。"按，道藏集注本"谓成
其实"正作"谓成其质"，可见原脱"亭谓品其形，毒"六字，后
而改"质"字为"实"。又，"各得其庇荫"句，东条弘说：疑
"各"上脱"物"字，当作"物各得其庇荫"。

〔一一〕马叙伦说：此四字"盖是经文之错复者"，非王弼注文。

〔一二〕"故"字，据道藏本及道藏集注本校改。

〔一三〕十章王弼注："凡言玄德，皆有德而不知其主，出乎幽冥。"

五十二章

天下有始，以为天下母。

〔善始之，则善养畜之矣。故天下有始，则可以为天下母矣〕〔一〕。

既得其母，以知其子；既知其子，复守其母，没身不殆。

母，本也。子，末也。得本以知末，不舍本以逐末也〔二〕。

塞其兑，闭其门，

兑〔三〕，事欲之所由生。门，事欲之所由从也。

终身不勤。

无事永逸，故终身不勤也〔四〕。

开其兑，济其事，终身不救。

不闭其原，而济〔五〕其事，故虽终身不救。

见小曰明，守柔曰强。

为治之功不在大，见大不明，见小乃明。守强不强，守柔乃强也。

143

用其光，

显道以去民迷〔六〕。

复归其明，

不明察也。

无遗身殃,是为习常。

道之常也。

【校释】

〔一〕此节注文原脱,据古逸丛书本、道藏本及道藏集注本校补。

〔二〕"舍",通"捨",弃也。三十八章王弼注:"守母以存其子,崇本以举其末,则形名俱有而邪不生,大美配天而华不作,故母不可远,本不可失。"

〔三〕"兑",古通"隧",道也。马叙伦老子校诂引孙诒让说:"'兑'当读为'隧'。襄二十三年左传:'杞植、华还,载甲夜人,且于之隧。'礼记檀弓郑注引之云:'隧或为兑。'是'兑'、'隧'古通之证。广雅释室:'隧,道也。''塞其隧',谓塞其道也。"

〔四〕"勤",劳。

〔五〕"济",成。又,马叙伦说:"'济'借为'赍'。""赍",广雅释诂:"持也。""济其事",即持其事。

〔六〕道藏集注本夺"迷"字。

五十三章

使我介然有知，行于大道，唯施是畏。

言若使我可介然有知〔一〕，行大道于天下，唯施为〔之〕〔二〕是畏也。

大道甚夷，而民好径。

言大道荡然正平，而民犹尚舍〔三〕之而不由，好从邪径，况复施为以塞大道之中乎〔四〕？故曰"大道甚夷，而民好径"。

朝甚除，

朝，宫室也。除，洁好也。

田甚芜、仓甚虚。

朝甚除，则田甚芜、仓甚虚〔五〕。设一而众害生也〔六〕。

服文彩，带利剑，厌饮食，财货有馀，是谓盗夸。非道也哉！

凡物，不以其道得之，则皆邪也，邪则盗也〔七〕。夸〔八〕而不以其道得之，〔盗夸也；贵而不以其道得之〕〔九〕，窃位也。故举非道以明，非道则皆盗夸也。

【校释】

〔一〕"介然"，河上公释为"大"。马叙伦说："'介'借为'哲'。说文曰：'哲，知也。'"高亨说："'介然'犹'慧然'也。'介'读为'黠'。"劳健老子古本考则释"介然"为"坚确貌"。按，劳说义较近。

〔二〕"之"字,据<u>道藏集注</u>本校删。按,有"之"字于此文义不畅。下
节注"况复施为以塞大道之中乎",正承此言,可证不当有
"之"字。

〔三〕"犹尚",尚且。"舍"通"捨"。

〔四〕"中",正。

〔五〕<u>道藏集注</u>本于"仓甚虚"下有一"矣"字。

〔六〕"设一",指"朝甚除"。"众害",指"田甚芜"、"仓甚虚"等。

〔七〕"盗",<u>说文</u>:"私利物也。"<u>榖梁传定公</u>八年:"非其所取而取之,
谓之盗。"

〔八〕"夸",<u>说文</u>:"奢也。"<u>荀子仲尼篇</u>"贵而不为夸",<u>杨倞</u>注:"夸,奢
侈也。"<u>道藏集注</u>本"夸"均作"誇"。按,旧说据<u>韩非子解老</u>引<u>老
子</u>经文"盗夸"作"盗竽",均以为"夸"为"竽"之借字。"盗竽"
犹盗首。<u>姚鼐</u>说:<u>韩非</u>说虽古而讹。今观<u>王弼</u>注文之义似亦不
当作"竽"解。"夸而不以其道得之",意谓其奢侈生活是以不正
当之手段(盗)得来的。

〔九〕"盗夸也;贵而不以其道得之"十一字,据<u>道藏集注</u>本校补。按,
"夸而不以其道得之,盗夸也;贵而不以其道得之,窃位也",正分
别说明经文"服文彩,带利剑"("贵")、"厌饮食,财货有馀"
("夸")均为以非道得之者,故为"盗夸"、为"窃位"也。原注脱
此十一字,以致文义不明。

五十四章

善建者不拔，

固其根，而后营其末，故不拔也〔一〕。

善抱者不脱，

不贪于多，齐〔二〕其所能，故不脱也。

子孙以祭祀不辍。

子孙传此道，以祭祀则不辍也〔三〕。

修之于身，其德乃真；修之于家，其德乃馀；

以身及人也。修之身则真〔四〕，修之家则有馀，修之不废，所施转大〔五〕。

修之于乡，其德乃长；修之于国，其德乃丰；修之于天下，其德乃普。故以身观身，以家观家，以乡观乡，以国观国，

彼皆然也。

以天下观天下。

以天下百姓心，观天下之道也。天下之道，逆顺吉凶，亦皆如人之道也。

吾何以知天下然哉？以此。

此，上之所云也。言吾何以得知天下乎？察己以知之，不求于外也。所谓不出户以知天下者也〔六〕。

147

【校释】

〔一〕“根”，即母、本。“营”，治理。“拔”，去。

〔二〕“齐其所能”，意为尽其所能而不超过其能力所及。

〔三〕“辍”，止也。

〔四〕“真”，朴实。

〔五〕“转大”，愈大。道藏集注本作“博大”。

〔六〕语见四十七章：“不出户知天下，不闚牖见天道。”

五十五章

含德之厚，比于赤子。蜂虿虺蛇不螫，猛兽不据，攫鸟不搏。

赤子，无求无欲，不犯众物，故毒(虫)〔螫〕之物无犯(之)〔于〕人也〔一〕。含德之厚者〔二〕，不犯于物，故无物以损其全也。

骨弱筋柔而握固，

以柔弱之故，故握能周固〔三〕。

未知牝牡之合而全作，

作，长也。无物以损其身，故能全长也。言含德之厚者，无物可以损其德、渝其真。柔弱不争而不摧折，皆若此也。

精之至也。终日号而不嗄，

无争欲之心，故终日出声而不嗄也〔四〕。

和之至也。知和曰常，

物以和〔五〕为常，故知和则得常也。

知常曰明，

不皦不昧，不温不凉，此常也。无形不可得而见，〔故曰"知常〕曰明"也〔六〕。

益生曰祥，

生不可益，益之则夭也〔七〕。

心使气曰强。

心宜无有，使气则强〔八〕。

物壮则老，谓之不道，不道早已。

【校释】

〔一〕"螫"字、"于"字，据道藏集注本校改。易顺鼎说："'无犯之人也'句有误，疑本作'无犯之者也'。"陶鸿庆说："'毒虫之物，无犯之人也'，当作'毒螫人之物，无犯之也'。"按，易、陶两说均可通，然观王弼注文之意，谓赤子不犯众物，故毒螫之物亦无犯于人。道藏集注本文义为长，故据改。

〔二〕"含德之厚者"，即三十八章所谓"上德不德"，亦即注所谓"上德之人，唯道是用，不德其德，无执无用"之意。

〔三〕"握"，手握物之意。"周"，道藏集注本作"坚"。波多野太郎说："'以柔弱之故'之'故'字疑衍。下注'无争欲之心，故终日出声而不嗄也'、'物以和为常，故知和则得常也'可证。"又说："'周'当作'坚'。"

〔四〕"嗄"，玉篇："声破也。"庄子庚桑楚篇司马彪注："楚人谓嗁（啼）极无声曰嗄。"道藏集注本"嗄"作"噫"，义同。

〔五〕"和"，和谐、不分不争之意。

〔六〕"故曰知常"四字，据宇惠说校补。按，此为重叠经文"知常曰明"。十六章"知常曰明"注说"常之为物，不偏不彰，无瞰昧之状、温凉之象，故曰知常曰明"，与此同。

〔七〕"夭"，不祥。道藏集注本作"妖"。按，老子经文"益生曰祥"之"祥"字，易顺鼎说："祥即不祥。书序云'有祥桑共生于朝'，与此'祥'字同义。"马叙伦说："'祥'疑借为'戕'。"又按，反对"益生"之思想亦见于庄子德充符："吾所谓无情者，言人之不以好

老子道德经注

150

恶内伤其身,常因自然而不益生。"

〔八〕"强",原作"彊"。"彊","强"之古体字。马叙伦说:"'彊'借为
　　'僵'。"按,观经文"物壮则老……",此"强"字似当为强壮之意。

五十六章

知者不言，

因自然也。

言者不知。

造事端也。

塞其兑，闭其门，挫其锐；

含守质也。

解其分，

除争原也。

和其光，

无所特显，则物无所偏争也〔一〕。

同其尘，

无所特贱，则物无所偏耻也。

是谓玄同。故不可得而亲，不可得而疏；

可得而亲，则可得而疏也。

不可得而利，不可得而害；

可得而利，则可得而害也。

不可得而贵,不可得而贱,

可得而贵,则可得而贱也。

故为天下贵。

无物可以加之也〔二〕。

【校释】

〔一〕"则物无所偏争也",道藏集注本作"则物物无偏争也"。下节注
　　　"则物无所偏耻也",作"则物物无偏耻也"。

〔二〕"也"字,道藏集注本作"者"。

五十七章

以正治国，以奇用兵，以无事取天下。

以道治国则国平，以正〔一〕治国则奇（正）〔兵〕〔二〕起也。以无事，则能取天下也。上章云，其取天下者，常以无事，及其有事，又不足以取天下也〔三〕。故以正治国，则不足以取天下，而以奇用兵也。夫以道治国，崇本以息末；以正治国，立辟〔四〕以攻末。本不立而末浅，民无所及，故必至于〔以〕〔五〕奇用兵也。

吾何以知其然哉？以此。天下多忌讳，而民弥贫；民多利器，国家滋昏；

利器，凡所以利己之器也。民强则国家弱。

人多伎巧，奇物滋起；

民多智慧，则巧伪生；巧伪生，则邪事起。

154　法令滋彰，盗贼多有。

立正欲以息邪，而奇兵用；多忌讳欲以耻贫〔六〕，而民弥贫；利器欲以强国者也，而国愈昏（多）〔弱〕〔七〕，皆舍本以治末，故以致此也。

故圣人云，我无为而民自化，我好静而民自正，我无事而民自富，我无欲而民自朴。

上之所欲，民从之速也。我之所欲唯无欲，而民亦无欲而自朴也。此四者〔八〕，崇本以息末也。

【校释】

〔一〕"正"，借为"政"，指刑政、威权。参看十七章"其次畏之"、"其次侮之"句王弼注。

〔二〕"兵"字，据道藏集注本及陶鸿庆说校改。陶说："'奇正起'当作'奇兵起'。'奇'，读为'奇衺'之'奇'。七十四章经'而为奇者'，注：'诡异乱群谓之奇。'是也。下节注云'立正欲以息邪，而奇兵用'，即此义。"宇惠说："'正'当作'兵'或'邪'。"

〔三〕"又不足以取天下也"，道藏集注本无"又"字。按，此文为四十八章经文，本或有"又"字，本或无"又"字。考长沙马王堆三号汉墓出土帛书老子甲乙本，此句均坏缺，然据坏缺字数计之，或当有"又"字。

〔四〕"辟"，说文："法也。"指刑法。

〔五〕"以"字，据东条弘说校补。按，据经文"以奇用兵"注"以奇用兵"，此处当亦作"以奇用兵"。

〔六〕波多野太郎说："欲以耻贫"之"耻"字，恐为"止"字之误。

〔七〕"弱"字，据陶鸿庆说校改。陶说："上节'国家滋昏'注云：'民强则国家弱。'"可证。波多野太郎引一说："多"字疑衍。

〔八〕"此四者"，指"无为"、"好静"、"无事"、"无欲"。

五十八章

其政闷闷，其民淳淳；

言善治政者，无形、无名、无事、无政可举〔一〕。闷闷然〔二〕，卒至于大治。故曰"其政闷闷"也。其民无所争竞，宽大淳淳〔三〕，故曰"其民淳淳"也。

其政察察，其民缺缺。

立刑名，明赏罚，以检奸伪，故曰"〔其政〕察察"也〔四〕。殊类分析〔五〕，民怀争竞，故曰"其民缺缺"〔六〕。

祸兮福之所倚，福兮祸之所伏。孰知其极？其无正？

言谁知善治之极乎？唯无可正举，无可形名〔七〕，闷闷然，而天下大化，是其极也〔八〕。

正复为奇，

以正治国，则便复以奇用兵矣。故曰"正复为奇"〔九〕。

善复为妖，

立善以和万物，则便复有妖之患也〔一〇〕。

人之迷，其日固久。

言人之迷惑失道固久矣，不可便正善治以责〔一一〕。

是以圣人方而不割，

以方〔一二〕导物，(舍)〔令〕〔一三〕去其邪，不以方割物。所谓大方无隅〔一四〕。

廉而不刿，

廉，清廉也〔一五〕。刿，伤也。以清廉（清）〔导〕〔一六〕民，（令去其邪）〔一七〕，令去其污，不以清廉刿伤于物也。

直而不肆，

以直导物，令去其僻〔一八〕，而不以直激（沸）〔拂〕〔一九〕于物也。所谓大直若屈也〔二〇〕。

光而不燿。

以光鉴〔二一〕其所以迷，不以光照求其隐匿也，所谓明道若昧也〔二二〕。此皆崇本以息末、不攻〔二三〕而使复之也。

【校释】

〔一〕此句注文陶鸿庆说："'无形'以下十字，疑本当作'无可形名，无可政举'。下节注云'言谁知善治之极乎？唯无可正举，无可形名，闷闷然，而天下大化，是其极也'，承此言。"石田羊一郎老子王弼注刊误本改此句作："无形可名，无事可举。"按，陶鸿庆说虽于文义较长，然王弼注文自可通，不必改。又，"政"字，道藏集注本作"正"。

〔二〕"闷闷然"，无所识别貌。二十章注："无所欲为，闷闷昏昏，若无所识。"

〔三〕"淳淳"，朴实、宽厚。

〔四〕"其政"二字，据宇惠及东条弘说校补。按，此为重叠经文。上节注"故曰其政闷闷也"、"故曰其民淳淳也"，本节注下文说"故曰其民缺缺"，都可证此处夺"其政"二字。

〔五〕"殊"，别。"殊类分析"，意为分别上下、贤愚、贵贱等。

〔六〕"缺缺"，昏暗不明貌。马叙伦说："'缺'借为'映'，说文：'映，明也。'盖目有蔽垢、不明之义。"

〔七〕"唯无可正举，无可形名"，道藏集注本作："唯正可举，无刑可名。"

〔八〕此节注文道藏集注本误作王雱注。

〔九〕道藏集注本无此"曰"字。

〔一〇〕波多野太郎引一说:"以和万物"之"和",疑当作"利"字。道藏集注本无"万物"之"万"字。又,"妖"下复有"妖妄"二字。

〔一一〕波多野太郎说:"不可便正善治以责"中"便"字,当在"不可"之上。并引一说,"正善"以下,疑有脱误。

〔一二〕"方",正直。

〔一三〕"令"字,据陶鸿庆说校改。陶说:"据以下两节注('令去其污'、'令去其僻'),此处当作'令去其邪'。"

〔一四〕"大方无隅"句,见四十一章。

〔一五〕"廉,清廉也",易顺鼎说:"王注曰'廉,清廉也'非是。鼎按,'廉'即古之'矜廉'之'廉',谓'廉隅也'。礼聘义'廉而不刿'疏云:'廉,棱也。'正与此同。有棱角,则易致刿伤,故惟圣人'廉而不刿'。淮南子'金积折廉'之'廉'亦如此解。'折'即'刿'矣。"

〔一六〕"导"字,据陶鸿庆说校改。陶说:"上节注云:'以方导物,令去其邪。'下节注云:'以直导物,令去其僻。'故知此亦为'导'也。"

〔一七〕"令去其邪"四字,据道藏集注本校删。陶鸿庆说:此为涉上文而衍。

〔一八〕"僻",邪僻。

〔一九〕"拂"字,据释文及道藏取善集本校改。按,当作"拂"。"拂",逆也。"激拂",即违逆。"不以直激拂于物",即四十五章王弼注所谓"随物而直,直不在一,故若屈也"之意。

〔二〇〕"大直若屈",语见四十五章。道藏本夺"大"字。

〔二一〕"鉴",照。

〔二二〕"明道若昧",语见四十一章。

〔二三〕"攻",作。诗经大雅灵台"庶民攻之",郑笺:"攻,作也。""不攻而使复之也",意为不使万物有所作为,而使其复归根本。

五十九章

治人事天莫若啬。

莫若〔一〕，犹莫过也。啬，农夫。农人之治田，务去其殊类、归于齐一也。全其自然，不急其荒病，除其所以荒病〔二〕。上承天命，下绥〔三〕百姓，莫过于此。

夫唯啬，是谓早服。

早服，常也〔四〕。

早服谓之重积德，

唯重积德，不欲锐速，然后乃能使早服其常。故曰"早服谓之重积德"者也。

重积德则无不克，无不克则莫知其极，

道无穷也。

莫知其极，可以有国。

以有穷而莅〔五〕国，非能有国也。

有国之母，可以长久。

国之所以安，谓之母。重积德，是唯图其根，然后营末，乃得其终也。

是谓深根固柢，长生久视之道。

【校释】

〔一〕"莫若"之"若"字,道藏本及道藏集注本均作"如"。或说王弼注原作"莫如",后人据经文改。

〔二〕此句意为,田之所以荒病,是由于田中有"殊类",如"去其殊类",则即为"除其所以荒病",如此,即能"全其自然",而不为"荒病"所窘困。"急",窘也。

〔三〕"绥",安。

〔四〕"早服"之"服"字,道藏集注本作"复",下节注文中"服"字亦均作"复"。释文亦出"早复",注:"音服。"俞樾、易顺鼎、刘师培等均引韩非子解老以为经文及注"早服"无误,"服"不当作"复"。刘师培说:"解老述下文'早''啬'义曰:'夫能啬也,是从于道而服于理者也。'又曰:'圣人虽未见祸患之形,虚无服从于道理,以称蚤服。'则训服从道理早,即先几之义矣。王训'早服'为'常'。后儒又改'服'为'复',见于释文,宋人均从之,此均昧于古训者也。"马叙伦、范应元、蒋锡昌、奚侗等均以为经文及注之"早服"当为"早复","早复"谓早返于道。高亨校经文说:"'早服'无宾语,意不完足……窃疑'服'下当有'道'字,'早服道'与'重积德'句法相同,文意相因。"按,据长沙马王堆三号汉墓出土帛书老子乙本经文作"夫唯啬,是以蚤服。蚤服是谓重积〔德〕"。与韩非子解老篇引同。甲本此句经文坏缺。是知经文及注"早服"均无误。王弼此句注文疑于"早服"下夺一"其"字,文当作"早服其常也"。是为释经文"是谓早服"之意为"早服"于"其常"也。下节注"唯重积德不欲锐速,然后乃能使早服其常",正承此言。

〔五〕"莅",释文:"古无此字,说文作'埭'。"按"埭"、"莅"均为临、治之意。

六十章

治大国若烹小鲜。

不扰也。躁则多害，静则全真〔一〕。故其国弥大，而其主弥静，然后乃能广得众心矣〔二〕。

以道莅天下，其鬼不神。

治大国则若烹小鲜〔三〕，以道莅天下，则其鬼不神也。

非其鬼不神，其神不伤人；

神不害自然也。物守自然，则神无所加。神无所加〔四〕，则不知神之为神也。

非其神不伤人，圣人亦不伤人。

道洽〔五〕，则神不伤人。神不伤人，则不知神之为神。道洽，则圣人亦不伤人。圣人不伤人，则〔亦〕〔六〕不知圣人之为圣也。犹云〔非独〕〔七〕不知神之为神，亦不知圣人之为圣也。夫恃威网以使物者，治之衰也。使不知神圣之为神圣，道之极也。

夫两不相伤，故德交归焉。

神不伤人，圣人亦不伤人；圣人不伤人，神亦不伤人，故曰"两不相伤"也。神圣合道，交〔八〕归之也。

162

【校释】

〔一〕"躁",动、扰。四十五章王弼注:"静则全物之真,躁则犯物之性。"

〔二〕"众"字,道藏集注本作"感"。

〔三〕"鲜",河上公注:"'鲜',鱼也。烹小鱼不去肠,不去鳞,不敢挠,恐其糜也。"

〔四〕道藏集注本无下"神之所加"之"所"字。

〔五〕"洽",合、通、和合之意。

〔六〕"亦"字,据道藏集注本校补。按,据上文"圣人亦不伤人"、下文"亦不知圣人之为圣也",此处亦当有一"亦"字。

〔七〕"非独"二字,据道藏本及道藏集注本校补。按,据经文"非其神不伤人……",注当有"非独"二字,于义为长。

〔八〕"交",俱、共。

六十一章

大国者下流。

江海居大而处下,则百川流之;大国居大而处下,则天下流之〔一〕,故曰"大国〔者〕〔二〕下流"也。

天下之交,

天下〔之〕所归会〔者〕也〔三〕。

天下之牝。

静而不求,物自归之也〔四〕。

牝常以静胜牡,以静为下。

以其静,故能为下也。牝,雌也。雄躁动贪欲,雌常以静,故能胜雄也。以其静复能为下,故物归之也。

故大国以下小国,

大国以下,犹云以大国下小国。

则取小国;

小国则附之。

小国以下大国,则取大国。

大国纳之也。

故或下以取,或下而取。

言唯修卑下,然后乃各得其所〔欲〕〔五〕。

大国不过欲兼畜人,小国不过欲入事人,夫两者各得其所欲,大者宜为下。

小国修下,自全而已,不能令天下归之。大国修下,则天下归之。故曰"各得其所欲,则大者宜为下"也。

【校释】

〔一〕"则天下流之"之"流",道藏取善集本引作"归"。

〔二〕"者"字,据东条弘说校补。按,此处为重叠经文,当有"者"字。

〔三〕"之"、"者"二字,据道藏集注本校补。按,"天下所归会也"文义不足,经文"天下之交",正指上文"大国"而言,故当言"天下之所归会者也"。

〔四〕道藏集注本无"也"字。

〔五〕"欲"字,据陶鸿庆说校补。陶说:"'各得其所'下,当有'欲'字。下节经注皆云:'各得其所欲。'"

六十二章

道者万物之奥，

奥，犹暧也〔一〕。可得庇荫之辞。

善人之宝，

宝〔二〕以为用也。

不善人之所保。

保以全也。

美言可以市，尊行可以加人。

言道无所不先，物无有贵于此也。虽有珍宝璧马，无以匹之〔三〕。美言
之，则可以夺众货之贾〔四〕，故曰"美言可以市"也〔五〕。尊行之，则千里之外
应之，故曰"可以加于人"也〔六〕。

人之不善，何弃之有！

166 不善当保道以免放〔七〕。

故立天子，置三公，

言以尊行道也。

虽有拱璧以先驷马，不如坐进此道。

此道，上之所云也。言故立天子，置三公，尊其位，重其人，所以为道也。
物无有贵于此者，故虽有拱抱宝璧以先驷马而进之〔八〕，不如坐而进此道也。

古之所以贵此道者何？不曰以求得，有罪以免邪？故为天下贵。

以求则得求，以免则得免，无所而不施〔九〕，故为天下贵也。

【校释】

〔一〕"奥"，原为室之西南角，室中幽隐之处。"奥"与"暖"一声之转。"暖"，蔽障、隐翳之意。所以王弼注："奥，犹暖也。可得庇荫之辞。"道藏集注本"暖"作"爱"。"爱"乃"暖"之借字。

〔二〕"宝"，与六十七章所说"我有三宝"之"宝"同义。

〔三〕"匹"，敌。道藏集注本作"正"。

〔四〕"贾"，通"价"。"夺众货之贾"，意为超过一切货物之价值。即上文所谓"物无有贵于此"之意。

〔五〕"市"，货卖。

〔六〕波多野太郎引一说："故曰"下、"可以加于人也"上，当补"尊行"二字。

〔七〕陶鸿庆说：" '放'为'于'字之误，下又夺'罪'字。其文云：'不善当保道，以免于罪。' '保道'承上节经文'不善人之所保'而言；'免于罪'依下节经文'有罪以免'为说。"按，陶说非。经文"人之不善，何弃之有"，为启下文"故立天子、置三公……"而言。"人之不善，何弃之有"，即如二十七章所说："圣人常善救人，故无弃人。"而此处注"不善当保道以免放"，亦如二十七章注所谓："使民心无欲无惑，则无弃人矣。""放"，小尔雅广言："放，弃也。"上经文"不善人之所保"注："保以全也。"故"不善当保道以免放"，意即为不善当全其道，而以免于弃也。波多野太郎说："放，依也。"疑此句当作："不善当放道以免。"又，道藏集注本"放"作"倣"，古通。

〔八〕"拱"，通"珙"，大璧。王弼此处作"拱抱"解，即合抱，亦为形容宝璧之大。"先"，疑为"駪"之借字。长沙马王堆三号汉墓出土帛书老子甲乙本"驷"字均作"四","四"借为"驷"字,"先"借为"骁"字。"骁",说文:"马众多貌。""以",连结词。观上节注"言道无所不先,物无有贵于此也。虽有珍宝璧马,无以匹之"之意,则此句意似当为,虽然有如同合抱大之宝璧与众多之马匹等贵重财物可以得到,不如……。

〔九〕"无所而不施"之"而"字,宇惠说:"疑衍。"

老子道德经注

六十三章

为无为，事无事，味无味。

以无为为居，以不言为教，以恬淡为味，治之极也〔一〕。

大小多少，报怨以德。

小怨则不足以报，大怨则天下之所欲诛，顺天下之所同者，德也〔二〕。

图难于其易，为大于其细。天下难事必作于易，天下大事必作于细，是以圣人终不为大，故能成其大。夫轻诺必寡信，多易必多难，是以圣人犹难之。

以圣人之才，犹尚难于细易，况非圣人之才，而欲忽于此乎？故曰"犹难之"也。

故终无难矣。

【校释】

〔一〕十七章王弼注："大人在上，居无为之事，行不言之教，万物作焉而不为始，故下知有之而已。"

〔二〕此处所谓之"德"，即三十八章王弼注"何以尽德，以无为用"、"唯道是用，不德其德"之"德"之意。

169

六十四章

其安易持，其未兆易谋，

以其安不忘危，持之不忘亡〔一〕，谋之无功之势，故曰"易"也〔二〕。

其脆易泮，其微易散。

虽失无入有，以其微脆之故，未足以兴大功，故易也。此四者，皆说慎终也。不可以无之故而不持〔三〕，不可以微之故而弗散也。无而弗持则生有焉，微而不散则生大焉。故虑终之患如始之祸，则无败事。

为之于未有，

谓其安未兆也〔四〕。

治之于未乱。

谓〔闭〕〔五〕微脆也。

合抱之木，生于毫末；九层之台，起于累土；千里之行，始于足下。为者败之，执者失之。

当以慎终除微，慎微除乱。而〔六〕以施为治之，形名执之，反生事原，巧辟〔七〕滋作，故败失也。

是以圣人无为，故无败；无执，故无失。民之从事，常于几成而败之。

不慎终也。

慎终如始,则无败事。是以圣人欲不欲,不贵难得之货。

好欲虽微,争尚为之兴;难得之货虽细,贪盗为之起也。

学不学,复众人之所过。

不学而能者,自然也。喻于(不)〔八〕学者过也。故学不学,以复众人之〔所〕〔九〕过。

以辅万物之自然,而不敢为。

【校释】

〔一〕波多野太郎说:"持之"二字,似宜作"其存"。按,"持之"之"持"字,疑当作"存";"之"字,涉下文"谋之"而衍。此语本周易系辞下:"危者安其位者也,亡者保其存者也,乱者有其治者也。是故,君子安而不忘危,存而不忘亡,治而不忘乱。"

〔二〕"无功之势",解释经文"未兆",亦即尚无作为之时。道藏集注本脱此节注文。

〔三〕"不可以无之故而不持",意为不能因为尚未形成,而不注意它。下文"不可以微之故而弗散也",义同此。

〔四〕波多野太郎说:"'其安未兆'言'其安'与'其未兆也',承上经文。"按,"其"字疑涉经文"其安"而衍。文当作"谓安未兆也",释经文"为之于未有"之意为"安"之于"未兆"。若作"其安未兆",则不辞矣。又,若如波多野太郎说,则于经文"为之于未有"之"为之"之义有缺焉。

〔五〕"闭"字,据道藏集注本校补。按,"闭微脆",即释经文"治之于未乱",与上节注"安未兆"意同,无"闭"字,则于义不可通矣。

〔六〕此"而"字,作"若"、"如"解。

〔七〕"辟",说文:"法也。"

〔八〕"不"字,据古逸丛书本校删。陶鸿庆说:"'喻'盖'踰'字之误。'喻于不学',谓学而后知能者。"按,陶说虽亦可通,然不若删"不"字于义为长。王弼说"不学而能者,自然也",以此为准,则

学者为不能自然也,所以说是"过"(过错之过)。文当作"喻于
学者过也"。波多野太郎说:"无'不'字是也。'自然'与'过'
相对,'不学'与'学'相应。'喻',晓也。"

〔九〕"所"字,据道藏集注本校补。按,此为重叠经文,当有"所"字
为是。

六十五章

古之善为道者，非以明民，将以愚之。

明，谓多(见)〔智〕巧诈，蔽其朴也〔一〕。愚，谓无知守真、顺自然也。

民之难治，以其智多。

多智巧诈，故难治也。

故以智治国，国之贼；

智，犹治也。以智而治国，所以谓之贼者，故谓之智也。民之难治，以其多智也〔二〕。当务塞兑闭门〔三〕，令无知无欲。而以智术动民，邪心既动，复以巧术防民之伪，民知其术，(防随)〔随防〕〔四〕而避之。思惟密巧，奸伪益滋，故曰"以智治国，国之贼"也。

不以智治国，国之福。知此两者，亦稽式。常知稽式，是谓玄德。玄德深矣，远矣，

稽〔五〕，同也。今古之所同则〔六〕，不可废。能知稽式，是谓玄德。玄德深矣，远矣。

与物反矣，

反其真也。

然后乃至大顺。

〔一〕"智"字,据陶鸿庆说校改。下两节注文均作"多智巧诈,故难治也"、"以其多智"可证。又,"蔽其朴"之"蔽"字,道藏取善集本引作"散"。

〔二〕此句注文多讹误,不可读。陶鸿庆说:"下文云:'邪心既动,复以巧术防民之伪。'又云:'思惟密巧,奸伪益滋。'疑此文当作:'智,犹巧也。以智巧治国,乃所以贼之,故谓之贼也。'"波多野太郎引一说:"'所以谓之贼者'六字,当移于'故谓之智也'下。"按,陶说义较胜,然亦不尽然。观文义,"智,犹治也",当如陶说作:"智,犹巧也。""故谓之智也"五字疑衍。文当作:"智,犹巧也。以智而治国,所以谓之贼者;民之难治,以其多智也。"如此则文义自通。

〔三〕"塞兑闭门",见五十二章王弼注:"兑,事欲之所由生。门,事欲之所由从也。"

〔四〕"随防"原误倒,文不可通,据陶鸿庆说校改。

〔五〕"稽"字,道藏集注本作"楷"。

〔六〕"今古之所同则",古逸丛书本作"今古之所同而则"。"则",法,释经文"式"义。二十二章"圣人抱一为天下式"注:"式,犹则(之)也。"二十八章"为天下式"注:"式,模则也。"此句意为,"以智治国,国之贼"、"不以智治国,国之福",为今古所共同之法则,不可废弃者。故下文说"能知稽式,是谓玄德"等等。

六十六章

江海所以能为百谷王者，以其善下之，故能为百谷王。是以欲上民，必以言下之；欲先民，必以身后之。是以圣人处上而民不重，处前而民不害，是以天下乐推而不厌。以其不争，故天下莫能与之争。

六十七章

天下皆谓我道大,似不肖。夫唯大,故似不肖。若肖,久矣其细也夫。

久矣其细,犹曰其细久矣。肖〔一〕则失其所以为大矣,故曰"若肖,久矣其细也夫"〔二〕。

我有三宝,持而保之。一曰慈,二曰俭,三曰不敢为天下先。慈,故能勇;

夫慈,以陈〔三〕则胜,以守则固,故能勇也。

俭,故能广;

节俭爱费,天下不匮〔四〕,故能广也。

不敢为天下先,故能成器长。

唯后外其身〔五〕,为物所归,然后乃能立成器为天下利,为物之长也〔六〕。

今舍慈且勇,

且,犹取也。

舍俭且广,舍后且先,死矣!夫慈,以战则胜,

相慜而不避于难,故胜也〔七〕。

以守则固,天将救之,以慈卫之。

176

【校释】

〔一〕"肖",像。像则像一定之形象,不如大道之无形,所以说"失其
　　　所以为大矣"。

〔二〕道藏本及道藏集注本"夫"字均在"故"字下。

〔三〕"陈",通"阵",布阵作战之意。即下节经文"夫慈,以战则胜"
　　　之意。

〔四〕"匮",乏。

〔五〕"后外其身",即七章所谓:"后其身而身先,外其身而身存。"

〔六〕陶鸿庆说:"'立成'无义。'立'疑'善'之坏字。四十一章注云:
　　　'无物而不济其形,故曰善成。'是其证也。'器'字当在'利为天
　　　下'下。"按,陶说非。"立成器为天下利"句无误。王弼此注乃
　　　引周易系辞上之语:"备物致用,立成器以为天下利,莫大乎圣
　　　人。"此注上文"唯后外其身,为物所归",正指"圣人"而言。七
　　　章经文:"是以圣人后其身而身先,外其身而身存。"故此注文义
　　　自可通。

〔七〕"慜",通"愍",怜悯、相爱之意。此句意若六十九章王弼注所
　　　谓:"哀者必相惜而不趣利避害,故必胜。"

六十八章

善为士者不武，

士，卒之帅也。武尚先陵〔一〕人也。

善战者不怒，

后而不先，应而不唱，故不在怒。

善胜敌者不与，

（不）与，争也〔二〕。

善用人者为之下。是谓不争之德，是谓用人之力，

用人而不为之下，则力不为用也〔三〕。

是谓配天古之极。

【校释】

178

〔一〕"陵"，侵犯。

〔二〕"不"字，据陶鸿庆说校删。陶说："王注云'不与争也'，'不与
争'而但云'不与'，不辞甚矣。'与'即'争'也。墨子非儒下篇
云'若皆仁人也，则无说而相与'，与下文'若两暴交争'云云，文
义相对。是'相与'即'相争'也。王氏引之经义述闻谓，古者
'相当'、'相敌'，皆谓之'与'，疏证最详。'当'、'与'、'敌'，并

与'争'义近。疑注文本作'与,争也'。后人不达其义,臆增
'不'字耳。"按,陶说是。

〔三〕此即六十六章所谓"欲上民,必以言下之"之意。

六十九章

用兵有言,吾不敢为主而为客,不敢进寸而退尺。是谓行无行,

(彼)〔进〕〔一〕遂不止。

攘无臂,扔无敌,

行,谓行陈也〔二〕。言以谦退哀慈,不敢为物先。用战犹行无行,攘无臂,执无兵,扔无敌也〔三〕。言无有与之抗也。

执无兵〔四〕。祸莫大于轻敌,轻敌几丧吾宝。

言吾哀慈谦退,非欲以取强无敌于天下也。不得已而卒至于无敌,斯乃吾之所以为大祸也〔五〕。宝,三宝也〔六〕,故曰"几亡吾宝"。

故抗兵相加,哀者胜矣。

抗,举也。(加)〔若〕〔七〕,当也。哀〔八〕者必相惜而不趣利避害,故必胜。

180

【校释】

〔一〕"进"字,据陶鸿庆说校改。陶说:"'彼'疑当为'进'。'进遂不
止',释经文'不敢进寸而退尺'之义。"波多野太郎说:"彼遂不
止",疑为河上公注混入,非弼注。按,陶说是。又此注文四字疑
当移至经文"是谓行无行"句上。下节注首言"行,谓行陈也",
即释经文"行无行"。故经文"是谓行无行"当与"攘无臂……"

相联。

〔二〕东条弘说:"行,谓行陈也"五字,当移至上注"彼遂不止"四字
　　前。按,东条弘说非,说见前。

〔三〕"攘",马叙伦说:"借为'纕'。"说文:"纕,援臂也。""扔",道藏
　　集注本作"仍"。马叙伦说:"'扔'、'仍'音义同,说文曰:'扔,
　　捆也。''捆',就也。"据马说,则"行无行"意为,欲行阵相对而无
　　阵可行。"攘无臂"意为,欲援臂相斗而无臂可援。"执无兵"意
　　为,欲执兵相战而无兵可执。"扔无敌"意为,欲就敌相争而无
　　敌可就。此均为说明,由于"谦退"、"不敢为物先",因而使得他
　　人欲战、欲斗、欲用兵、欲为敌而都找不到对立之一方。按,"扔"
　　字,疑当作"乃"。长沙马王堆三号汉墓出土帛书老子甲乙本经
　　文均作"乃"。观王弼注文说"言无有与之抗也"之意,正释经文
　　"乃无敌"之义。故似作"乃无敌"于义为长。作"扔"者,因经文
　　"执无兵"三字误在下(当在"攘无臂"下、"乃无敌"上),又因三
　　十八章"则攘臂而扔之"句,不明其义者妄改也。三十八章"攘
　　臂而扔之"之"扔"字,长沙马王堆三号汉墓出土帛书老子甲乙
　　本经文亦均作"乃",此"乃"字为"扔"之借字,而本章注"乃无
　　敌",当以"乃"本字用。

〔四〕按,"执无兵"三字,据王弼注文次序当在"攘无臂"下。长沙马
　　王堆三号汉墓出土帛书老子甲乙本经文"执无兵"三字均在"攘
　　无臂"下可证。

〔五〕陶鸿庆说,此节注文当作:"言吾哀慈谦退,非欲以兵取强于天
　　下,不得已也。无敌而卒至于轻敌,斯乃吾之所以为大祸也。"传
　　写错误,遂不可通。按,陶说非。据马叙伦遵傅奕本校定老子经
　　文,两"轻敌"均为"无敌"之误。长沙马王堆三号汉墓出土帛书
　　老子甲乙本亦均作"无敌"。又,观王弼上节注"言无有与之抗
　　也",也为"无敌"之意。则此节注文无误可知也。此注之意为,

我之所以用"哀慈谦退",原不为"取强无敌于天下"者,然终而
至于"无敌",此乃我之所以视为"大祸"者。

〔六〕"三宝",指"慈"、"俭"、"不敢为天下先"。文见六十七章。

〔七〕"若"字,据道藏集注本校改。按,"加"字无"当"义,当作"若"。
傅奕本老子经文及长沙马王堆三号汉墓出土帛书老子甲乙本经
文"相加"均作"相若"。可见,注文"若"误作"加",乃因经文之
误而误。

〔八〕"哀",怜惜之意。劳健说:"王弼注云云,后人相承,多误解'哀'
字,如哀伤之义,大失其旨。王弼注'慈以陈则正'句云:'相慜
而不避于难,故正也。'(文见六十七章。'陈'作'战','正'作
'胜')与此句注大同小异,则王弼本意当亦以'哀'为慈爱而非
哀伤。"

七十章

吾言甚易知，甚易行，天下莫能知，莫能行。

可不出户窥牖而知〔一〕，故曰"甚易知"也。无为而成〔二〕，故曰"甚易行"也。惑于躁欲，故曰"莫之能知"也。迷于荣利，故曰"莫之能行"也。

言有宗，事有君。

宗，万物之(宗)〔主〕〔三〕也；君，万(物)〔事〕〔四〕之主也。

夫唯无知，是以不我知。

以其言有宗、事有君之故，故有知之人，不得不知之也〔五〕。

知我者希，则我者贵，

唯深，故知之者希也〔六〕。知我益希，我亦无匹〔七〕，故曰"知我者希，则我(者)贵"也〔八〕。

是以圣人被褐怀玉。

被褐者〔九〕，同其尘；怀玉者〔一〇〕，宝其真也〔一一〕。圣人之所以难知，以其同尘而不殊〔一二〕，怀玉而不渝〔一三〕，故难知而为贵也。

183

【校释】

〔一〕四十七章："不出户，知天下；不阚牖，见天道。"注："道有大常，理有大致。执古之道，可以御今；虽处于今，可知古始。故不出户阚牖，而可知也。"

〔二〕四十七章王弼注："明物之性，因之而已，故虽不为，而使之成矣。"

〔三〕"主"字，据陶鸿庆说校改。陶说："宗亦主也。注释'宗'、'君'二字义无区别。疑原文当云：'宗，万物之主也。'"按，陶说是。四章"渊兮似万物之宗"注："形虽大，不能累其体；事虽殷，不能充其量。万物舍此而求主，主其安在乎？不亦渊兮似万物之宗乎？"亦以"主"释"宗"，可为证。

〔四〕"事"字，据道藏集注本校改。陶鸿庆亦说当作："君，万事之主也。"经文及下节注文均作"事有君"可证。

〔五〕此句注文文义不明，疑有错误。宇惠说："不得不知之也"句下"不"字疑为"而"字之误。按，疑"有知"之"有"为"无"之讹，"不知"之"不"为"我"之讹。经文说："夫唯无知，是以不我知。"注文正释此意，故当作"故无知之人，不得我知之也"。"无知之人"，指不懂得"言有宗，事有君"之道理的人，因此，也就不能懂得"吾言甚易知，甚易行"，亦即"不得我知之也"。"不得我知之"，如说不能知道我，所以经文说"知我者希"，注："唯深，故知之者希也。"

〔六〕"希"，借为"稀"，少。

〔七〕"我亦无匹"之"亦"字，陶鸿庆说："当作'益'。"

〔八〕"者"字，据道藏集注本校删。按，观王弼注文之义不当有"者"字。注文之义谓，知我者愈少，于是我就贵重了。下节注文说"圣人之所以难知，以其同尘而不殊，怀玉而不渝，故难知而为贵也"，正申述此意。若有"者"字，则"则"字当作"效法"义解，则于上下文义不可通。注文所以衍此"者"字，乃由于老子经文"则我者贵"句已衍"者"字而沿误。马叙伦据傅奕本校订，经文"则我者贵"无"者"字。长沙马王堆三号汉墓出土帛书老子甲乙本经文此句亦均作"则我贵矣"可证。

〔九〕“被”,披。“褐”,黑色短衣。“被褐”,指穿着普通人的衣着,不突出,即所谓“同其尘”。

〔一〇〕“怀”,马叙伦说:“当作‘裒’,说文:‘裒,褱也。’今通用‘怀’。”“怀玉”,即把玉包裹起来,不使其显露出来。按,马说是。长沙马王堆三号汉墓出土帛书老子甲乙本经文“怀”字,正均作“褱”。

〔一一〕“宝”,通“保”。“真”,朴、无。

〔一二〕“殊”,别。“不殊”,不与万物区别,即所谓“不殊其类”。

〔一三〕“不渝”,道藏取善集本引作“不显”。按,“渝”为变、污之义。观此注上下文义,作“不渝”不可通,而以作“不显”义为长。“怀玉而不显”,意即把宝玉包裹起来,不使其显露。又,“渝”字疑为“矜”字之误。上文说:“怀玉者,宝其真也。”四十一章“质真若渝”王注:“质真者,不矜其真,故〔若〕渝。”可证此处当作“不矜”。“同尘而不殊”、“怀玉而不矜”对文同义。此处作“不渝”者,疑涉四章王弼注“同尘而不渝其真”句而误。

七十一章

知不知,上;不知知,病。

不知知之不足任,则病也。

夫唯病病,是以不病。圣人不病,以其病病,是以不病〔一〕。

【校释】

〔一〕道藏集注本于此经文下有王弼注文"病病者,知所以为病"八字。

186

七十二章

民不畏威,则大威至。无狎其所居,无厌其所生。

清(净)〔静〕〔一〕无为谓之居,谦后不盈谓之生。离〔二〕其清(净)〔静〕,行其躁欲,弃其谦后,任其威权,则物扰而民僻〔三〕,威不能复制民〔四〕。民不能堪〔五〕其威,则上下大溃矣,天诛将至。故曰"民不畏威,则大威至。无狎其所居,无厌其所生〔六〕"。言威力不可任也。

夫唯不厌,

不自厌也。

是以不厌。

不自厌,是以天下莫之厌。

是以圣人自知,不自见;

不自见其所知,以耀光行威也〔七〕。

自爱,不自贵。

自贵,则(物)〔将〕狎(厌居)〔居厌〕生〔八〕。

故去彼取此。

【校释】

〔一〕"静"字,据东条弘说"本'清净'作'清静'"校改。按,王弼以"清静"与"躁欲"对言,以"清静"为本。六章王弼注"守静不衰”，十五章<u>王弼</u>注“浊以静，物则得清”，四十五章<u>王弼</u>注“静无为以胜热。以此推之，则清静为天下正也。静则全物之真，躁则犯物之性，故惟清静，乃得如上诸大也”等，均可为证。下“离其清静”之“静”字同此。

〔二〕“离”字，<u>道藏</u>本及<u>道藏集注</u>本均误作“虽”。

〔三〕“扰”，乱。“僻”，邪。

〔四〕“制民”之“民”字，<u>道藏集注</u>本作“良”。

〔五〕“堪”，胜任。

〔六〕“狎”，近。<u>道藏集注</u>本作“狭”。“狎”、“狭”古通。“厌”，损。

〔七〕“耀光”，意为侦察人之隐匿。五十八章“光而不燿”注：“以光鉴其所以迷，不以光照求其隐匿也。”“耀光”即为“光而不燿”之反义。又，<u>古逸丛书</u>本“耀光”作“光耀”。“行威”，<u>道藏集注</u>本作“行藏”。

〔八〕此节注文据<u>陶鸿庆</u>说校改。<u>陶</u>说：“‘物’盖‘将’字之误，草书似之。‘狎厌居生’，当作‘狎居厌生’。本章经云：‘无狎其所居，无厌其所生。’”

七十三章

勇于敢则杀，

必不得其死也。

勇于不敢则活。

必齐命也〔一〕。

此两者，或利或害。

俱勇而所施者异〔二〕，利害不同，故曰"或利或害"也。

天之所恶，孰知其故？是以圣人犹难之。

孰，谁也。言谁能知天（天下之所恶）意（故）邪？其唯圣人〔也〕〔三〕。夫圣人之明，犹难于勇敢，况无圣人之明，而欲行之也。故曰"难之"也〔四〕。

天之道，不争而善胜，

（天）〔夫〕唯不争，故天下莫能与之争〔五〕。

不言而善应，

顺则吉，逆则凶，不言而善应也〔六〕。

189

不召而自来，

处下则物自归〔七〕。

繟然而善谋。

垂象而见吉凶〔八〕，先事而设诚〔九〕，安而不忘危，未（召）〔兆〕〔一〇〕而谋之,故曰"缠然〔——〕而善谋"也。

天网恢恢,疏而不失。

【校释】

〔一〕"齐",道藏集注本作"济"。"齐"通"济",成全。"齐命",如说
"全命"。

〔二〕"所施者异",指一则"勇于敢",一则"勇于不敢"。

〔三〕此句注文据列子力命篇张湛注引校改。按,原注文义不通,当据
列子力命篇改,义自通。

〔四〕道藏集注本脱此节注文。

〔五〕"夫"字,据道藏集注本校改。按,此乃引二十二章经文:"夫唯
不争,故天下莫能与之争。"作"天"者,形近而误。又,"唯"字,
道藏本误作"虽"。

〔六〕"善应",道藏集注本作"临应"。

〔七〕六十一章王弼注:"江海居大而处下,则百川流之;大国居大而处
下,则天下流之。"

〔八〕语出周易系辞上:"天生神物,圣人则之;天地变化,圣人效之。
天垂象,见吉凶,圣人象之。"

〔九〕"诚"字,宇惠说:据文义当作"诚",形近而讹。

〔一〇〕"兆"字,据道藏集注本等校改。六十四章"其未兆易谋"
可证。

〔一一〕"缠"字,道藏集注本作"组"。或作"埠"。按,"缠"、"组"、
"埠"音近,同借为"坦"。"坦然",即坦白无私。

老子道德经注

七十四章

民不畏死,奈何以死惧之! 若使民常畏死,而为奇者吾得执而杀之,孰敢?

诡异乱群,谓之奇也〔一〕。

常有司杀者杀,夫代司杀者杀,是谓代大匠斲。夫代大匠斲者,希有不伤其手矣。

为逆,顺者之所恶忿也〔二〕;不仁者,人之所疾也〔三〕。故曰"常有司杀"也。

【校释】

〔一〕"群"字,道藏取善集本引作"真"。

〔二〕宇惠说:疑"顺者"二字倒乙。文当为"为逆者,顺之……"。按,又疑"忿"为衍文,读者以"忿"注"恶"而误衍入者。文当作"为逆者,顺之所恶也",与下文"不仁者,人之所疾也"正相对应。

〔三〕"人之所疾也"之"人"字,劳健说:当为"天"字之讹,语出前章经文"天之所恶"。

191

七十五章

民之饥，以其上食税之多，是以饥。民之难治，以其上之有为，是以难治。民之轻死，以其求生之厚，是以轻死。夫唯无以生为者，是贤于贵生。

言民之所以僻〔一〕，治之所以乱，皆由上，不由其下也〔二〕。民从上也〔三〕。

【校释】

〔一〕"僻"，邪。

〔二〕此句注文陶鸿庆说："'皆由上，不由其下也'，'其'字误夺在下，当云：'皆由其上，不由下也。''其上'二字乃举经文。"

〔三〕道藏集注本于"民从上也"句下，尚有"此疑非老子之所作"八字。

七十六章

　　人之生也柔弱,其死也坚强。万物草木之生也柔脆,其死也枯槁。故坚强者死之徒,柔弱者生之徒。是以兵强则不胜,

强兵以暴于天下者,物之所恶也,故必不得胜〔一〕。

　　木强则兵。

物所加也。

　　强大处下,

木之本也〔二〕。

　　柔弱处上。

枝条是也。

【校释】

〔一〕列子黄帝篇张湛注引此作:"物之所恶,故必不得终焉。"易顺鼎说:列子引此注为"兵强则灭,木强则折"二句之注,今注误"终"为"胜",又误在"兵强则不胜"之下。据张注知王弼本作"兵强则灭",今作"兵强则不胜"者,乃后人因误注而并改正文矣。按,易说非。据长沙马王堆三号汉墓出土帛书老子甲乙本经文均作"兵强则不胜",可知经文与注均不误。

〔二〕"木"字,道藏集注本作"大"。

七十七章

天之道,其犹张弓与! 高者抑之,下者举之;有馀者损之,不足者补之。天之道,损有馀而补不足。人之道则不然,

> 与天地合德,乃能包之如天之道。如人之量,则各有其身,不得相均。如惟无身无私乎〔一〕? 自然,然后乃能与天地合德。

损不足以奉有馀。孰能有馀以奉天下? 唯有道者。是以圣人为而不恃,功成而不处,其不欲见贤。

> 言(唯)〔谁〕〔二〕能处盈而全虚,损有以补无,和光同尘,荡而均者〔三〕? 唯(其)〔有〕道〔者〕也〔四〕。是以圣人不欲示其贤,以均天下。

【校释】

〔一〕"如惟无身无私乎"句中"如"字当作"此"解。如论语宪问"如其仁,如其仁"之"如"。"如惟……",如同说"此只有……"。

〔二〕"谁"字,据陶鸿庆说校改。按,经文作"孰能有馀以奉天下"可证。"孰",谁也,作"唯"者形近而误。

〔三〕"荡",广大。"均",均平。

〔四〕"有"字,据陶鸿庆说校改。"者"字,据石田羊一郎说校补。按,此为复述经文"唯有道者",当如陶说等改。

194

七十八章

天下莫柔弱于水，而攻坚强者莫之能胜，其无以易之。

以，用也。其，谓水也。言用水之柔弱，无物可以易之也〔一〕。

弱之胜强，柔之胜刚，天下莫不知，莫能行。是以圣人云，受国之垢，是谓社稷主；受国不祥，是为天下王。正言若反。

【校释】

〔一〕道藏集注本脱此节注文。

七十九章

和大怨，必有馀怨，

不明理其契〔一〕，以致大怨已至。而德〔以〕〔二〕和之，其伤不复，故〔必〕〔三〕有馀怨也。

安可以为善？是以圣人执左契，

左契〔四〕，防怨之所由生也。

而不责于人。有德司契，

有德之人，念思其契，不（念）〔令〕〔五〕怨生而后责于人也〔六〕。

无德司彻。

彻，司人之过也〔七〕。

天道无亲，常与善人。

【校释】

〔一〕"理"，治理。"契"，书契，指契约、法令。周易系辞下："上古结绳而治，后世圣人易之以书契。"韩康伯注："书契所以决断万事也。"

〔二〕"以"字，据道藏本及道藏集注本校补。"德以和之"，意为用德来调和大怨。

〔三〕"必"字，据道藏本及道藏集注本校补。按，经文作"必有馀怨"

可证。

〔四〕"左契",契分左右以为对质。礼记曲礼"献粟者,执右契"郑玄注:"契,券要也,右为尊。"商子定分:"以左券予吏之问法令者;主法令之吏,谨藏其右券木柙以宝藏之。"战国策韩策:"操右契而为公责德于秦魏之王。"马叙伦引王雱说:"左契乃受责者之所执。"引吴澄说:"执左契者,己不责于人,待人来责于己。有持右契来合者,即与之,无心计较其人之善否。"王弼注"左契,防怨之所由生也",正是待人来责于己,而己不责于人之意。

〔五〕"令"字,据道藏本及道藏集注本校改。作"念"者,义不可通,涉"念思其契"之"念"而误。

〔六〕王弼周易讼卦象辞注:"听讼,吾犹人也,必也使无讼乎!无讼在于谋始,谋始在于作制。契之不明,讼之所由生也。物有其分,职不相滥,争何由兴?讼之所起,契之过也。故有德司契而不责于人。"可为此处注文之参考。

〔七〕"彻",通"辙"。俞樾说:"'彻'与'辙'通。二十七章'善行无辙迹',释文作'彻',引梁武帝曰:'彻'应'车'边。""司",马叙伦说:"'司',读为伺察之'伺'。""彻,司人之过也",释经文"无德司辙",意为无德之人专注视人之行迹,以察他人之过错。

八十章

小国寡民,

国既小,民又寡,尚可使反古,况国大民众乎!故举小国而言也。

使有什伯之器而不用,

言使民虽有什伯之器〔一〕,而无所用〔二〕,何患不足也。

使民重死而不远徙。

使民不用,惟身是宝,不贪货赂〔三〕。故各安其居,重死而不远徙也。

虽有舟舆,无所乘之;虽有甲兵,无所陈之;使人复结绳而用之。甘其食,美其服,安其居,乐其俗。邻国相望,鸡犬之声相闻,民至老死不相往来。

无所欲求〔四〕。

【校释】

〔一〕"什伯之器",指兵器。<u>俞樾</u>说:"什伯之器,乃兵器也。<u>后汉书宣秉传注</u>曰:'军法五人为伍,二五为什,则共其器。'其兼言伯者,古军法以百人为'伯'。<u>周书武顺篇</u>'五五二十五曰元卒,四卒成卫曰伯',是其证也。什伯皆士卒部曲之名。<u>礼记祭义篇</u>曰:'军旅什伍。'彼言'什伍',此言'什伯',所称有大小,而无异

198

义。<u>徐锴说文</u>系传于<u>人</u>部'伯'下引'<u>老子</u>曰:有什伯之器。每什伯共用器,谓兵革之属',得其解矣。"

〔二〕<u>道藏</u>本及<u>道藏集注</u>本于"无所用"下均有"之当"二字。则此注文当作"……而无所用之,当何患不足也"。

〔三〕"货赂",货物。

〔四〕"欲求",<u>道藏集注</u>本作"求欲"。按,本章与下章经文,据<u>长沙马王堆</u>三号<u>汉</u>墓出土帛书<u>老子</u>甲乙本次序,均在今本六十六章之后、六十七章之前。

八十一章

信言不美，

实在质也。

美言不信；

本在朴也。

善者不辩，辩者不善；知者不博，

极在一也〔一〕。

博者不知。圣人不积，

无私自有〔二〕，唯善是与〔三〕，任物而已。

既以为人，己愈有；

物所尊也。

既以与人，己愈多。

200 物所归也。

天之道，利而不害。

动常生成之也〔四〕。

圣人之道，为而不争。

顺天之利，不相伤也。

【校释】

〔一〕三十九章王弼注:"一,数之始而物之极也。"

〔二〕"无私自有",波多野太郎说:"'自'字宜作'不'字。二章'生而不有'。"

〔三〕"与",通"予",给予。

〔四〕"动",指天道之动。此句意为,天道动而使物生之、成之。

老子指略辑佚

夫物之所以生,功之所以成,必生乎无形,由乎无名〔一〕。无形无名者,万物之宗也〔二〕。不温不凉,不宫不商〔三〕。听之不可得而闻,视之不可得而彰,体之不可得而知,味之不可得而尝〔四〕。故其为物也则混成〔五〕,为象也则无形〔六〕,为音也则希声〔七〕,为味也则无呈〔八〕。故能为品物之宗主,苞通天地,靡使不经也〔九〕。若温也则不能凉矣,宫也则不能商矣。形必有所分,声必有所属。故象而形者,非大象也;音而声者,非大音也。然则,四象不形,则大象无以畅;五音不声,则大音无以至〔一〇〕。四象形而物无所主焉,则大象畅矣;五音声而心无所适焉,则大音至矣〔一一〕。故执大象则天下往,用大音则风俗移也〔一二〕。无形畅,天下虽往,往而不能释也;希声至,风俗虽移,移而不能辩也〔一三〕。是故天生五物,无物为用〔一四〕。圣行五教,不言为化〔一五〕。是以"道可道,非常道;名可名,非常名"也〔一六〕。五物之母,不炎不寒,不柔不刚;五教之母,不皦不昧〔一七〕,不恩不伤。虽古今不同,时移俗易,此不变也,所谓"自古及今,其名不去"者也〔一八〕。天不以此,则物不生;治不以此,则功不成。故古今通，终始同；执古可以御今，证今可以知古始〔一九〕，此所谓"常"者也〔二○〕。无曒昧之状、温凉之象，故"知常曰明"也〔二一〕。物生功成，莫不由乎此，故"以阅众甫"也〔二二〕。

夫奔电之疾犹不足以一时周，御风之行犹不足以一息期〔二三〕。善速在不疾，善至在不行。故可道之盛，未足以官天地；有形之极，未足以府万物〔二四〕。是故叹之者不能尽乎斯美，咏之者不能畅乎斯弘〔二五〕。名之不能当，称之不能既〔二六〕。名必有所分，称必有所由〔二七〕。有分则有不兼，有由则有不尽〔二八〕；不兼则大殊其真，不尽则不可以名，此可演而明也〔二九〕。夫"道"也者，取乎万物之所由也；"玄"也者，取乎幽冥之所出也；"深"也者，取乎探赜而不可究也〔三○〕；"大"也者，取乎弥纶而不可极也〔三一〕；"远"也者，取乎绵邈而不可及也〔三二〕；"微"也者，取乎幽微而不可睹也。然则"道"、"玄"、"深"、"大"、"微"、"远"之言〔三三〕，各有其义，未尽其极者也。然弥纶无极，不可名细；微妙无形，不可名大。是以篇云"字之曰道"、"谓之曰玄"，而不名也〔三四〕。然则，言之者失其常，名之者离其真，为之者则败其性，执之者则失其原矣〔三五〕。是以圣人不以言为主，则不违其常；不以名为常，则不离其真；不以为为事，则不败其性；不以执为制，则不失其原矣〔三六〕。然则，老子之文〔三七〕，欲辩而诘者，则失其旨也；欲名而责者，则违其义也。故其大归也〔三八〕，论太始之原以明自然之性，演幽冥之极以定惑罔之迷〔三九〕。因而不为，损而不施〔四○〕；崇本以息末，守母以存子〔四一〕；贱夫巧术，为在未有〔四二〕；无责于人，必求诸己〔四三〕，此其大要也。而法者尚乎齐同，而刑以检之〔四四〕；名者尚乎定真，而言以正之〔四五〕；儒者尚乎全爱，而誉以进之〔四六〕；墨者尚乎俭啬，而矫以立之〔四七〕；杂者尚乎众美，而总以行之〔四八〕。夫刑以检物，巧伪必生；名以定物，理恕必失；誉以进物，争尚必起；矫以立物，乖违必作；杂以行物，秽乱必兴。斯皆用其子而弃其母。物失所载，未足守也。然致同途异，至合趣乖〔四九〕，而学者惑其所致，迷其所趣。观其齐同，则谓之法；睹其定真，则谓之名；察其纯爱，则谓之儒；鉴其俭啬，则谓之墨；见其不系，则谓之杂。随其所鉴而正名焉，顺其所好而执意焉。故使有纷纭愦错之论〔五○〕、殊趣辩析之争〔五一〕，盖由斯矣。又其为文也，举终以证始，本始以尽终〔五二〕；开而弗达，道而弗牵〔五三〕。寻而后既其义，推而后尽其理。善发事始以首其论，明夫会归以终其文〔五四〕。故使同趣而感发者〔五五〕，莫不美其兴言之始，因而演焉；异旨而独构者〔五六〕，莫不说其会归之征，以为证焉。夫途虽殊，必同其归；虑虽百，必均其致。而举夫归致以明至理，故使触类而思者，莫不欣其思之所应，以为得其义焉。

凡物之所以存，乃反其形；功之所以尅，乃反其名〔五七〕。夫存者不以存为存，以其不忘亡也；安者不以安为安，以其不忘危也。故保其存者亡，不忘亡者存；安其位者危，不忘危者安。善力举秋毫，善听闻雷霆，此道之与形反也〔五八〕。安者实安，而曰非安之所安；存者实存，而曰非存之所存；侯王实尊，而曰非尊之所为〔五九〕；天地实大，而曰非大之所能；圣功实存，而曰绝圣之所立；仁德实著，而曰弃仁之所存〔六○〕。故使见形而不及道者，莫不忿其言焉〔六一〕。夫欲定物之本者，则虽近而必自远以证其始。夫欲明物之所由者，则虽显而必自幽以叙其本。故取天地之外，以明形骸之内；明侯王孤寡之义，而从道一以宣其始〔六二〕。故使察近而不及流统之原者，莫不诞其言以为虚焉〔六三〕。是以云云者，各申其说，人美其乱〔六四〕。或迂其言，或讥其论，若晓而昧，若分而乱〔六五〕，斯之由矣。

名也者，定彼者也；称也者，从谓者也〔六六〕。名生乎彼，称出乎我〔六七〕。故涉之乎无物而不由，则称之曰道；求之乎无妙而不出，则谓之曰玄〔六八〕。妙出乎玄，众由乎道。故“生之畜之”，不壅不塞，通物之性，道之谓也。“生而不有，为而不恃，长而不宰”，有德而无主，玄之德也〔六九〕。“玄”，谓之深者也〔七〇〕；“道”，称之大者也。名号生乎形状，称谓出乎涉求。名号不虚生，称谓不虚出。故名号则大失其旨，称谓则未尽其极〔七一〕。是以谓玄则“玄之又玄”，称道则“域中有四大”也〔七二〕。

老子之书，其几乎可一言而蔽之。噫！崇本息末而已矣。观其所由，寻其所归，言不远宗，事不失主〔七三〕。文虽五千，贯之者一；义虽广瞻，众则同类。解其一言而蔽之，则无幽而不识；每事各为意，则虽辩而愈惑〔七四〕。尝试论之曰：夫邪之兴也，岂邪者之所为乎？淫之所起也，岂淫者之所造乎？故闲邪在乎存诚，不在善察〔七五〕；息淫在乎去华，不在滋章〔七六〕；绝盗在乎去欲，不在严刑；止讼存乎不尚，不在善听〔七七〕。故不攻其为也，使其无心于为也；不害其欲也，使其无心于欲也。谋之于未兆，为之于未始〔七八〕，如斯而已矣。故竭圣智以治巧伪，未若见质素以静民欲〔七九〕；兴仁义以敦薄俗，未若抱朴以全笃实；多巧利以兴事用，未若寡私欲以息华竞〔八〇〕。故绝司察〔八一〕，潜聪明，去劝进，剪华誉〔八二〕，弃巧用，贱宝货。唯在使民爱欲不生，不在攻其为邪也〔八三〕。故见素朴以绝圣智〔八四〕，寡私欲以弃巧利，皆崇本以息末之谓也。

夫素朴之道不著，而好欲之美不隐〔八五〕，虽极圣明以察之，竭智虑以攻之，巧愈思精，伪愈多变，攻之弥甚，避之弥勤。则乃智愚相欺，六亲相疑，朴散真离，事有其奸。盖舍本而攻末，虽极圣智，愈致斯灾，况术之下此者乎！夫镇之以素朴，则无为而自正〔八六〕；攻之以圣智，则民穷而巧殷〔八七〕。故素朴可抱，而圣智可弃。夫察司之简，则避之亦简；竭其聪明，则逃之亦察〔八八〕。简则害朴寡，密则巧伪深矣。夫能为至察探幽之术者，匪唯圣智哉？其为害也，岂可记乎！故百倍之利未渠多也〔八九〕。

夫不能辩名，则不可与言理；不能定名，则不可与论实也〔九〇〕。凡名生于形，未有形生于名者也〔九一〕。故有此名必有此形，有此形必有其分。仁不得谓之圣，智不得谓之仁，则各有其实矣。夫察见至微者，明之极也；探射隐伏者〔九二〕，虑之极也。能尽极明，匪唯圣乎？能尽极虑，匪唯智乎？校实定名，以观绝圣，可无惑矣〔九三〕。夫敦朴之德不著，而名行之美显尚，则修其所尚而望其誉，修其所道而冀其利。望誉冀利以勤其行，名弥美而诚愈外，利弥重而心愈竞。父子兄弟怀情失直，孝不任诚，慈不任实，盖显名行之所招也。患俗薄而名兴行〔九四〕、崇仁义，愈致斯伪，况术之贱此者乎？故绝仁弃义以复孝慈，未渠弘也〔九五〕。

夫城高则冲生〔九六〕，利兴则求深。苟存无欲，则虽赏而不窃〔九七〕；私欲苟行，则巧利愈昏。故绝巧弃利，代以寡欲，盗贼无有〔九八〕，未足美也。夫圣智，才之杰也；仁义，行之大者也；巧利，用之善也。本苟不存，而兴此三美〔九九〕，害犹如之，况术之有利，斯以忽素朴乎〔一〇〇〕！故古人有叹曰：甚矣，何物之难悟也！既知不圣为不圣，未知圣之不圣也；既知不仁为不仁，未知仁之为不仁也。故绝圣而后圣功全，弃仁而后仁德厚。夫恶强非欲不强也，为强则失强也；绝仁非欲不仁也，为仁则伪成也。有其治而乃乱，保其安而乃危。后其身而身先，身先非先身之所能也；外其身而身存，身存非存身之所为也〔一〇一〕。功不可取，美不可用。故必取其为功之母而已矣〔一〇二〕。篇云"既知其子"，而必"复守其母"〔一〇三〕。寻斯理也，何往而不畅哉！

【校释】

〔一〕老子一章王弼注："道以无形无名始成万物。""夫物"之"夫"字，微旨例略误作"天"。"无形"下，指归略例衍一"形"字。

〔二〕"无形无名"，指道。"宗"，主。老子十四章：道"其上不皦，其下不昧，绳绳不可名，复归于无物，是谓无状之状、无物之象。是谓惚恍……"王弼注："无形无名者，万物之宗也。"

〔三〕"不温不凉，不宫不商"，意为"道"不是某一种具体事物，没有任何具体之属性，因此也没有任何局限性。老子十六章王弼注："常之为物，不偏不彰，无皦昧之状、温凉之象。"三十五章王弼注："大象，天象之母也。〔不炎〕不寒，不温不凉，故能包统万物，无所犯伤。主若执之，则天下往也。""宫"、"商"，各是五音之一。"温"、"凉"，参看老子十六章王弼注校释〔五〕。

〔四〕老子十四章："视之不见名曰夷，听之不闻名曰希，搏之不得名曰微。此三者不可致诘，故混而为一。"王弼注："无状无象，无声无响，故能无所不通，无所不往。不得而知，更以我耳、目、体不知为名，故不可致诘，混而为一也。"

〔五〕老子二十五章："有物混成，先天地生。"王弼注："混然不可得而知，而万物由之以成，故曰混成也。"

〔六〕老子四十一章："大象无形。"王弼注："有形则有分。有分者，不温则(炎)〔凉〕，不炎则寒。故象而形者，非大象。"

〔七〕老子四十一章:"大音希声。"王弼注:"听之不闻名曰希。〔大音〕,不可得闻之音也。有声则有分,有分则不宫而商矣。分则不能统众,故有声者非大音也。"

〔八〕"呈",通"程",说文:"品也。""无呈",无可品尝。

〔九〕"品",说文:"众遮也。""品物",即万物。"苞通天地"之"苞",指归略例作"包"。"苞",通"包"。微旨例略脱"天地"二字。"靡使不经",即老子二十五章王弼注所谓"无物而不由也"之意。

〔一〇〕"四象",孔颖达周易系辞疏:"四象者,谓金、木、水、火。""畅",通达。"五音",宫、商、角、徵、羽。"至",达。此句意为,然而没有具体的"四象"、"五音",那末"大象"、"大音"的作用也无从体现出来。

〔一一〕此句意为,虽然万物通过"四象"显现出来,但不以"四象"为宗主。如此,"大象"即可通达无阻。虽然声音通过"五音"表达出来,但并不执着于"五音"。如此,"大音"才能通达。

〔一二〕"用大音则风俗移也",指归略例无"也"字。

〔一三〕"释"、"辩",均为明白之意。"不能释"、"不能辩",意为不知其所以然。

〔一四〕"五物",金、木、水、火、土。此句意为,虽然天生"五物"以构成万物,然而必须以无为用。此即老子十一章王弼注所谓:"有之以为利,皆赖无以为用也。"又如老子三十八章王弼注所谓:"何以尽德?以无为用。以无为用,则莫不载也。故物,无焉,则无物不经;有焉,则不足以免其生。"

〔一五〕"五教",五伦之教。孟子滕文公:"使契为司徒,教以人伦:父子有亲,君臣有义,夫妇有别,长幼有序,朋友有信。""不言为化",即老子十七章王弼注所谓:"居无为之事,行不言之教。"亦即老子十章王弼注所谓:"道常无为,侯王若能守,则万物

〔将〕自化。"

〔一六〕语出老子一章。王弼注:"可道之道,可名之名,指事造形,非其常也。"

〔一七〕"皦",明。"昧",暗。

〔一八〕语出老子二十一章。王弼注:"至真之极,不可得名。无名,则是其名也。自古及今,无不由此而成,故曰自古及今,其名不去。"

〔一九〕"证今"之"证"字,微旨例略作"御"。老子十四章王弼注:"无形无名者,万物之宗也。虽今古不同,时移俗易,故莫不由乎此以成其治者也。故可执古之道以御今之有。上古虽远,其道存焉,故虽在今可以知古始也。"

〔二〇〕老子十六章:"复命曰常。"王弼注:"复命则得性命之常,故曰常也。"然此处王弼以"古今通,终始同;执古可以御今,证今可以知古始",为"所谓'常'者也",则此"常"是指老子十四章所谓之"道纪"。

〔二一〕语出老子十六章。王弼注:"常之为物,不偏不彰,无皦昧之状、温凉之象,故曰知常曰明也。"

〔二二〕语出老子二十一章。王弼注:"众甫,物之始也,以无名(说)〔阅〕万物始也。"

〔二三〕"周",周遍。"期",达到。"一时"、"一息",均指时间之短暂。此句意为,虽如闪电、疾风之迅速,也不可能在极短暂之时间内周遍所有的地方,达到预定的地点。

〔二四〕"官",统御。"府",包括。此句意为,可以表述的和有形可见的最盛大的事物,也不能统御和包括天地万物。

〔二五〕"斯",此,指"道"。"弘",大。此句意为,不管如何赞叹、歌颂,也不能表达尽"道"的美德和博大。又,"斯美"之"美",微旨例略误作"羡"。

〔二六〕"当",恰当,适合。"既",尽。

〔二七〕"分",别。"由",因,凭借。

〔二八〕"不兼"、"不尽",均为不能完全包容而有局限之意。

〔二九〕"演",推演,推论。

〔三〇〕"赜",幽深。"究",穷尽。

〔三一〕"弥纶",充满。"极",穷尽。

〔三二〕"绵邈",久远。"及",达到。又,指归略例"绵"作"缅"。

〔三三〕"然则道、玄、深、大、微、远之言"中,"微"字指归略例作"妙"。

〔三四〕语本老子二十五章:"吾不知其名,字之曰道,强为之名曰大。"又,一章:"此两者(始与母)同出而异名,同谓之玄。"王弼注:"不可得而名,故不可言同名曰玄。而言〔同〕谓之玄者,取于不可得而谓之然也。"又,"是以篇云"之"篇"字,指归略例作"经"。

〔三五〕语本老子二十九章:"为者败之,执者失之。"又,"为之者败其性,执之者则失其原"中二"者"字,指归略例均脱。"败"作"窒"。

〔三六〕语本老子二章:"是以圣人处无为之治,行不言之教。"三十二章:"道常无名。"六十四章:"为者败之,执者失之,是以圣人无为故无败,无执故无失。"

〔三七〕"老子之文"之"子"字,指归略例作"君"。

〔三八〕"大归",根本之归旨,即中心思想。

〔三九〕"太始",万物之始。列子天瑞:"有太易,有太初,有太始……太始者,形之始也。""定",纠正。

〔四〇〕老子十章:"天门开阖,能无(按,当作'为')雌乎!"王弼注:"雌应而不(倡)〔唱〕,因而不为。言天门开阖能为雌乎?则物自宾而处自安矣。"按,"损而不施"义不可通,疑"损"当为"顺",音近而误,句当作"顺而不施"。老子二十九章:"故物或行或随,或歔或吹,或强或羸,或挫或隳。"王弼注:"凡此诸或,言物事逆顺反覆,不施为执割也。圣人达自然之(至)〔性〕,畅万物之情,故因而不为,顺而不施。除其所以迷,去其所以惑,故心不乱而物性自得之也。"此节注文之意,正与此同,而文正作"因而不为,顺而不施"。

〔四一〕语本老子五十二章:"天下有始,以为天下母。既得其母,以知其子;既知其子,复守其母。"王弼注:"母,本也。子,末也。得本以知末,不舍本以逐末也。"又三十八章注:"守母以存其子,崇本以举其末,则形名俱有而邪不生,大美配天而华不作,故母不可远,本不可失。"

〔四二〕"贱夫巧术",意为以巧术为低贱,亦即老子十九章"绝巧弃利"之意。"为在未有",一说即老子六十四章"为之于未有,治之于未乱"之意。一说"未有"为"末有"之误,意为所以轻贱巧术,其原因是只在"末有"上下功夫。此二说于此均可通。

〔四三〕老子七十九章:"和大怨,必有馀怨,安可以为善?是以圣人执左契,而不责于人。"

〔四四〕"法者",指法家学派。"检",检查,约束。"刑以检之",用刑法来检查、约束一切。"刑"字,指归略例作"形"。

〔四五〕"名者",指名家学派。"定真",即指名实相符。"言以正之"之"言"字,微旨例略作"名"。

〔四六〕"儒者",指儒家学派。"誉以进之",意为用各种美誉来诱进人们。

〔四七〕"墨者",指墨家学派。"矫以立之",意为压制自己情欲去过俭啬的生活。又,"矫"字,指归略例作"智"。

〔四八〕"杂者",指杂家学派。"总以行之",意为兼收并用各家学说。

〔四九〕语本周易系辞:"天下同归而殊途,一致而百虑。"又,此句指归略例作:"然致同途而异至、合旨而趋乖。"以下文中"趣"

字,指归略例均作"趋"。

〔五〇〕"愦",乱。"纷纭愦乱之论",意为众多杂乱之论说。"愦"字,指归略例误作"愤"。

〔五一〕"辩析"之"析",微旨例略作"拆"。

〔五二〕"本始以尽终",微旨例略作:"不述始以尽终。"

〔五三〕语本礼记学记:"故君子之教,喻也。道而弗牵,强而弗抑,开而弗达。道而弗牵则和,强而弗抑则易,开而弗达则思。和易以思,可谓善喻矣。""开而弗达",意为注重启发而不事事都告诉他。"道而弗牵",意为耐心引导而不逼令他立刻明白。又,"牵"字,微旨例略误作"率"。

〔五四〕此句意为,善于揭示事物之根源作为论述的开始,能够抓住事物之要领来得出其结论。

〔五五〕"同趣而感发者",指观点、议论相同者。指归略例于"感发"下有"于事"二字。

〔五六〕"异旨而独构者",指观点不同、有独自见解者。

〔五七〕"尅",同"克",成功。"反",相反。

〔五八〕此处"道"与"形"对言,"道"为本,有本质之意。"形"为末,有现象之意。"秋毫",极细微的毫毛,比喻最轻的东西。"雷霆",比喻最响的声音。此句意为,"秋毫"、"雷霆"是一般人都能举起和听到的。然而"善力"者也恰恰表现在他能举起"秋毫","善听"者也恰恰表现在他能听到"雷霆",这说明"善力"与"善听"的本质和他们"举秋毫"、"闻雷霆"的现象是互相相反的。

〔五九〕"非尊之所为"之"为"字,指归略例作"尊"。又,指归略例由此下至"道,称之大者也"脱。然于此下有"皆理之大者也"六字。

〔六〇〕以上各句意为,只执守于事物本身,反而不能保存自身。亦即

老子道德经注

上文所谓："用其子而弃其母,物失所载,未足守也。"

〔六一〕"忿",怨恨,不满。此句意为,只看到具体事物,而不懂得"道"的人,对以上所说之道理是不满意的。

〔六二〕"孤寡",侯王自称之辞。"道一",<u>王维诚</u>说:"疑作'得一'。"按,<u>王</u>说是。<u>老子</u>三十九章:"昔之得一者,天得一以清,地得一以宁,神得一以灵,谷得一以盈,万物得一以生,侯王得一以为天下贞。"

〔六三〕"焉"字,<u>王维诚</u>辑校本误作"言"字。

〔六四〕"云云者",指各种说法之学派。"申",申述。按,"人美其乱"之"乱"字,疑为"辞"字之误。"各申其说,人美其辞",文义通顺,意为各学派各自申述其学说,皆以自己之论说为最好。

〔六五〕"迂",迂腐,不合时宜。"若分而乱",意为好像分明,其实混乱。

〔六六〕此句意为,"名"是确定外界事物的;"称"是随从说话人之意向的。

〔六七〕此句意为,"名"是以事物为依据而产生的,"称"则由主观给予的。

〔六八〕<u>老子</u>二十五章:"字之曰道。"<u>王弼</u>注:"言道,取于无物而不由也,是混成之中,可言之称最大也。"<u>老子</u>一章:"玄之又玄,众妙之门。"<u>王弼</u>注:"众妙皆从(同)〔玄〕而出,故曰众妙之门也。"

〔六九〕语出<u>老子</u>十章:"生之畜之,生而不有,为而不恃,长而不宰,是谓玄德。"<u>王弼</u>注:"物自长足,不吾宰成,有德无主,非玄而何?凡言玄德,皆有德而不知其主,出乎幽冥。"

〔七〇〕"谓之深者也",<u>王维诚</u>辑校本脱"者"字。

〔七一〕"旨",宗旨,本义。此句意为,"道"、"玄"等都是对"无物而不由"、"无妙而不出"的万物本原的一种描述,它同具体事物的名号、称谓不同。因为名号是根据事物的形状确定的,称谓是根据人们认识的要求产生的。因此,就名号和称谓来讲是不能表达"道"、"玄"所包含的根本含义和作用的。

〔七二〕"玄之又玄",语出老子一章。"域中有四大",语出老子二十五章。按,指归略例文至此而终。

〔七三〕语本老子七十章:"吾言甚易知,甚易行。……言有宗,事有君。"此句意为,言论、行事都不能离开"道"。

〔七四〕"无幽而不识"之"识"字,王维诚辑校本误作"失"。此句意为,若能懂得"崇本息末"这一根本道理,则任何幽深之事都能认识;如果就事论事,各执己见,则愈辩而愈迷惑。

〔七五〕"闲",隔,防止。"不在善察"之"善察"二字,王维诚辑校本误倒。

〔七六〕"兹",通"滋",繁殖,增长。"章",明。

〔七七〕"善听",指善于决断讼事。

〔七八〕语本老子六十四章:"其未兆易谋","为之于未有"。

〔七九〕"质素",即素朴。老子五十七章:"我无为而民自化,我好静而民自正,我无事而民自富,我无欲而民自朴。"

〔八〇〕"华竞",竞尚浮华。

〔八一〕"司",同"伺"。"司察",侦察。

〔八二〕"翦",除去。"华誉",浮华之名誉。

〔八三〕以上各句之意,即老子十九章所谓"绝圣弃智,民利百倍;绝仁弃义,民复孝慈;绝巧弃利,盗贼无有"之意。

〔八四〕"见素朴以绝圣智",王维诚辑校本于"素"字下衍一"抱"字。

〔八五〕"好欲之美",意为以"好欲"为美德。

〔八六〕语本老子三十七章:"化而欲作,吾将镇之以无名之朴。"

〔八七〕"殷",大,多。

〔八八〕"简",省略。"察",明察。"逃之亦察",意为逃避之法亦愈加巧妙。

〔八九〕"渠",借为"遽"。"未渠多",不算过分。此句意为,圣智之害不可记数,所以"绝圣弃智,民利百倍"(老子十九章)之论,并不算过分之言。

〔九〇〕"不可与论实也"之"与"字,王维诚辑校本误作"以"。

〔九一〕"凡名生于形,未有形生于名者也",句中两"名"字,微旨例略均误作"民"。

〔九二〕"探",侦察。"射",射覆,古代一种猜谜游戏,此处为猜测之意。"探射隐伏",侦察、猜测隐匿之事。

〔九三〕此句意为,如果从圣智之名的实际情况来考核一番的话,那末"绝圣弃智"的论断,是无可怀疑的了。

〔九四〕"名兴行"三字疑有误。据上下文义似当作"兴名行"。"兴名行",正与上文"显名行"、"名行之美显"等义同。"兴名行"、"崇仁义"文义亦一致。

〔九五〕"弘",大。"未渠弘",不算过分夸大。"绝仁弃义,以复孝慈",语出老子十九章。

〔九六〕"冲",古时攻城用的一种战车,其上筑有楼台,以便攀登城墙。

〔九七〕语本论语颜渊:"季康子患盗,问于孔子。孔子对曰:苟子之不欲,虽赏之不窃。"

〔九八〕"盗贼无有"之"贼"字,微旨例略误作"则"。

〔九九〕"而兴此三美"之"兴"字,王维诚辑校本误作"用"。

〔一〇〇〕"利",用。"斯",此指"圣智"、"仁义"、"巧利"三者。此句意为,圣智、仁义、巧利三者,虽为最美者,但是"本"(道)如果不存而举此三美,其害已如上述。何况专用此三者以为行事之准则,而根本抛掉素朴(道)者。老子十九章王弼注:"此三者以为文而未足,故令人有所属,属之于素朴寡欲。"

〔一〇一〕语本老子七章："后其身而身先,外其身而身存。"

〔一〇二〕此即所谓"崇本息末"之意。

〔一〇三〕语本老子五十二章："既得其母,以知其子;既知其子,复守
其母,没身不殆。"